Perel'man, I A. I.

Я.И. ПЕРЕЛЬМАН

Zanimatel'naia algebra

ЗАНИМА-
ТЕЛЬНАЯ
АЛГЕБРА

ИЗДАТЕЛЬСТВО
Астрель
МОСКВА

УДК 51-053.2
ББК 22.1
П27

Серийное оформление *С.Е. Власова*

Перельман, Я.И.

П27   Занимательная алгебра / Я.И. Перельман. — М.: АСT: Астрель: АСT МОСКВА, 2009. — 282, [6] с.: ил. — (Занимательная наука).

    ISBN 978-5-17-044077-1 (ООО «Издательство АСT»)
    ISBN 978-5-271-17174-1 (ООО «Издательство Астрель»)
    ISBN 978-5-9713-9996-4 (ООО Издательство «АСT МОСКВА»)

    Одно из лучших классических пособий по алгебре. Занимательные задачи, необычные сюжеты, любопытные примеры, доступность изложения разнообразят школьную программу.

УДК 51-053.2
ББК 22.1

Подписано в печать 01.08.2008 г.
Формат 84x108/ 32. Печать офсетная. Усл. печ. л. 15,12.
Доп. тираж 4 000 экз. Заказ № 1975.

ИЗ ПРЕДИСЛОВИЯ АВТОРА К ТРЕТЬЕМУ ИЗДАНИЮ

Не следует на эту книгу смотреть как на легко понятный учебник алгебры для начинающих. Подобно прочим моим сочинениям той же серии, «Занимательная алгебра» — прежде всего не учебное руководство, а книга для вольного чтения. Читатель, которого она имеет в виду, должен уже обладать некоторыми познаниями в алгебре, хотя бы смутно усвоенными или полузабытыми. «Занимательная алгебра» ставит себе целью уточнить, воскресить и закрепить эти разрозненные и непрочные сведения, но главным образом — воспитать в читателе вкус к занятию алгеброй и возбудить охоту самостоятельно пополнить по учебным книгам пробелы своей подготовки.

Чтобы придать предмету привлекательность и поднять к нему интерес, я пользуюсь в книге разнообразными средствами: задачами с необычными сюжетами, подстрекающими любопытство, занимательными экскурсиями в область истории математики, неожиданными применениями алгебры к практической жизни и т.п.

ГЛАВА ПЕРВАЯ

ПЯТОЕ МАТЕМАТИЧЕСКОЕ ДЕЙСТВИЕ

Пятое действие

Алгебру называют нередко «арифметикой семи действий», подчеркивая, что к четырем общеизвестным математическим операциям она присоединяет три новых: возведение в степень и два ему обратных действия.

Наши алгебраические беседы начнутся с «пятого действия» — возведения в степень.

Вызвана ли потребность в этом новом действии практической жизнью? Безусловно. Мы очень часто сталкиваемся с ним в реальной действительности. Вспомним о многочисленных случаях вычисления площадей и объемов, где обычно приходится возводить числа во вторую и третью степени. Далее: сила всемирного тяготения, электростатическое и магнитное взаимодействия, свет, звук ослабевают пропорционально второй степени расстояния. Продолжительность обращения планет вокруг Солнца (и спут-

4

ников вокруг планет) связана с расстояниями от центра обращения также степенной зависимостью: вторые степени времен обращения относятся между собою, как третьи степени расстояний.

Не надо думать, что практика сталкивает нас только со вторыми и третьими степенями, а более высокие показатели существуют только в упражнениях алгебраических задачников. Инженер, производя расчеты на прочность, сплошь и рядом имеет дело с четвертыми степенями, а при других вычислениях (например, диаметра паропровода) — даже с шестой степенью. Исследуя силу, с какой текучая вода увлекает камни, гидротехник наталкивается на зависимость также шестой степени: если скорость течения в одной реке вчетверо больше, чем в другой, то быстрая река способна перекатывать по своему ложу камни в 4^6, т.е. в 4096 раз более тяжелые, чем медленная[1].

С еще более высокими степенями встречаемся мы, изучая зависимость яркости раскаленного тела — например, нити накала в электрической лампочке от температуры. Общая яркость растет при белом калении с двенадцатой степенью температуры, а при красном — с тридцатой степенью температуры («абсолютной», т.е. считаемой от минус 273°). Это означает, что тело, нагретое, например, от 2000° до 4000° (абсолютных), т.е. в два

---

[1] Подробнее об этом см. в моей книге «Занимательная механика», глава девятая.

раза сильнее, становится ярче в 2^{12}, иначе говоря, более чем в 4000 раз. О том, какое значение имеет эта своеобразная зависимость в технике изготовления электрических лампочек, мы еще будем говорить в другом месте.

Астрономические числа

Никто, пожалуй, не пользуется так широко пятым математическим действием, как астрономы. Исследователям Вселенной на каждом шагу приходится встречаться с огромными числами, состоящими из одной-двух значащих цифр и длинного ряда нулей. Изображение обычным образом подобных числовых исполинов, справедливо называемых «астрономическими числами», неизбежно вело бы к большим неудобствам, особенно при вычислениях. Расстояние, например, до туманности Андромеды, написанное обычным порядком, представляется таким числом километров:

95 000 000 000 000 000 000.

При выполнении астрономических расчетов приходится к тому же выражать зачастую небесные расстояния не в километрах или более крупных единицах, а в сантиметрах. Рассмотренное расстояние изобразится в этом случае числом, имеющим на пять нулей больше:

9 500 000 000 000 000 000 000 000.

Массы звезд выражаются еще бо́льшими числами, особенно если их выражать, как требуется для многих расчетов, в граммах. Масса нашего Солнца в граммах равна:

1 983 000 000 000 000 000 000 000 000 000 000.

Легко представить себе, как затруднительно было бы производить вычисления с такими громоздкими числами и как легко было бы при этом ошибиться. А ведь здесь приведены далеко еще не самые большие астрономические числа.

Пятое математическое действие дает вычислителям простой выход из этого затруднения. Единица, сопровождаемая рядом нулей, представляет собой определенную степень десяти:

$$100 = 10^2, 1000 = 10^3, 10\,000 = 10^4 \text{ и т.д.}$$

Приведенные раньше числовые великаны могут быть поэтому представлены в таком виде:

первый . . . . $95 \cdot 10^{23}$
второй . . . . $1983 \cdot 10^{30}$

Делается это не только для сбережения места, но и для облегчения расчетов. Если бы потребовалось, например, оба эти числа перемножить, то достаточно было бы найти произведение $95 \cdot 1983 = 188\,385$ и поставить его впереди множителя $10^{23+30} = 10^{53}$:

$$950 \cdot 10^{23} \cdot 1983 \cdot 10^{30} = 188\,385 \cdot 10^{53}.$$

Это, конечно, гораздо удобнее, чем выписывать сначала число с 21 нулем, затем с 30 и, наконец, с 53 нулями, — не только удобнее, но и надежнее, так как при писании десятков нулей можно проглядеть один-два нуля и получить неверный результат.

Сколько весит весь воздух

Чтобы убедиться, насколько облегчаются практические вычисления при пользовании степенным изображением больших чисел, выполним такой расчет: определим, во сколько раз масса земного шара больше массы всего окружающего его воздуха.

На каждый кв. сантиметр земной поверхности воздух давит, мы знаем, с силой около килограмма. Это означает, что вес того столба атмосферы, который опирается на 1 кв. см, равен 1 кг. Атмосферная оболочка Земли как бы составлена вся из таких воздушных столбов; их столько, сколько кв. сантиметров содержит поверхность нашей планеты; столько же килограммов весит вся атмосфера. Заглянув в справочник, узнаем, что величина поверхности земного шара равна 510 млн. кв. км, т.е. $51 \cdot 10^7$ кв. км.

Рассчитаем, сколько квадратных сантиметров в квадратном километре. Линейный километр содержит 1000 м, по 100 см в каждом, т.е. равен 10^5 см, а кв. километр содержит $(10^5)^2 = 10^{10}$ кв. сантиметров. Во всей поверхности земного шара заключается поэтому:

$$51 \cdot 10^7 \cdot 10^{10} = 51 \cdot 10^{17}$$

кв. сантиметров.

Столько же килограммов весит и атмосфера Земли. Переведя в тонны, получим:

$$51 \cdot 10^{17} : 1000 = 51 \cdot 10^{17} : 10^3 = 51 \cdot 10^{17-3} = 51 \cdot 10^{14}.$$

Масса же земного шара выражается числом:

$$6 \cdot 10^{21} \text{ тонн.}$$

Чтобы определить, во сколько раз наша планета тяжелее ее воздушной оболочки, производим деление:

$$6 \cdot 10^{21} : 51 \cdot 10^{14} \approx 10^6,$$

т.е. масса атмосферы составляет примерно миллионную долю массы земного шара.

Горение без пламени и жара

Если вы спросите у химика, почему дрова или уголь горят только при высокой температуре, он скажет вам, что соединение углерода с кислородом происходит, строго говоря, при *всякой* температуре, но при низких температурах процесс этот протекает чрезвычайно медленно (т.е. в реакцию вступает весьма незначительное число молекул) и потому ускользает от нашего наблюдения. Закон, определяющий скорость химических реакций, гласит, что с понижением температуры на 10° скорость реакции (число участвующих в ней молекул) *уменьшается в два раза*.

Применим сказанное к реакции соединения древесины с кислородом, т.е. к процессу горения дров. Пусть при температуре пламени 600° сгорает ежесекундно 1 грамм древесины. Во сколько времени сгорит 1 грамм дерева при 20°? Мы уже знаем, что при температуре, которая на $580 = 58 \cdot 10$ градусов ниже, скорость реакции меньше в

$$2^{58} \text{ раз,}$$

т.е. 1 грамм дерева сгорит в 2^{58} секунд.

Скольким годам равен такой промежуток времени? Мы можем приблизительно подсчитать это, не производя 57 повторных умножений на два и обходясь без логарифмических таблиц. Воспользуемся тем, что

$$2^{10} = 1024 \approx 10^3.$$

Следовательно,

$$2^{58} = 2^{60-2} = 2^{60} : 2^2 = \frac{1}{4} \cdot 2^{60} = \frac{1}{4} \cdot \left(2^{10}\right)^6 \approx \frac{1}{4} \cdot 10^{18},$$

т.е. около четверти триллиона секунд. В году около 30 млн., т.е. $3 \cdot 10^7$, секунд; поэтому

$$\left(\frac{1}{4} \cdot 10^{18}\right) : \left(3 \cdot 10^7\right) = \frac{1}{12} \cdot 10^{11} \approx 10^{10}.$$

Десять миллиардов лет! Вот во сколько примерно времени сгорел бы грамм дерева без пламени и жара.

Итак, дерево, уголь горят и при обычной температуре, не будучи вовсе подожжены. Изобретение орудий добывания огня ускорило этот страшно медленный процесс в миллиарды раз.

Разнообразие погоды

ЗАДАЧА

Будем характеризовать погоду только по одному признаку, — покрыто ли небо облаками или нет, т.е. станем различать лишь дни ясные и пасмурные. Как вы думаете, много ли при таком условии возможно недель с различным чередованием погоды?

Казалось бы, немного: пройдет месяца два, и все комбинации ясных и пасмурных дней в неделе будут исчерпаны; тогда неизбежно повторится одна из тех комбинаций, которые уже наблюдались прежде.

Попробуем, однако, точно подсчитать, сколько различных комбинаций возможно при таких условиях. Это — одна из задач, неожиданно приводящих к пятому математическому действию.

Итак: сколькими различными способами могут на одной неделе чередоваться ясные и пасмурные дни?

РЕШЕНИЕ

Первый день недели может быть либо ясный, либо пасмурный; имеем, значит, пока две «комбинации».

В течение двухдневного периода возможны следующие чередования ясных и пасмурных дней:

ясный и ясный

ясный и пасмурный

пасмурный и ясный

пасмурный и пасмурный.

Итого в течение двух дней 2^2 различного рода чередований. В трехдневный промежуток каждая из четырех комбинаций первых двух дней сочетается с двумя комбинациями третьего дня; всех родов чередований будет

$$2^2 \cdot 2 = 2^3.$$

В течение четырех дней число чередований достигнет

$$2^3 \cdot 2 = 2^4.$$

За пять дней возможно 2^5, за шесть дней 2^6 и, наконец, за неделю $2^7 = 128$ различного рода чередований.

Отсюда следует, что недель с различным порядком следования ясных и пасмурных дней имеется 128. Спустя $128 \cdot 7 = 896$ дней непременно должно повториться одно из прежде бывших сочетаний; повторение, конечно, может случиться и раньше, но 896 дней — срок, по истечении которого такое повторение неизбежно. И обратно: может пройти целых два года, даже больше (2 года и 166 дней), в течение которых ни одна неделя по погоде не будет похожа на другую.

12

Замóк с секретом

ЗАДАЧА

В одном советском учреждении обнаружен был несгораемый шкаф, сохранившийся с дореволюционных лет. Отыскался и ключ к нему, но чтобы им воспользоваться, нужно было знать секрет замка; дверь шкафа открывалась лишь тогда, когда имевшиеся на двери 5 кружков с алфавитом на их ободах (36 букв) устанавливались на определенное слово. Так как никто этого слова не знал, то, чтобы не взламывать шкафа, решено было перепробовать все комбинации букв в кружках. На составление одной комбинации требовалось 3 секунды времени.

Можно ли надеяться, что шкаф будет открыт в течение ближайших 10 рабочих дней?

РЕШЕНИЕ

Подсчитаем, сколько всех буквенных комбинаций надо было перепробовать.

Каждая из 36 букв первого кружка может сопоставляться с каждой из 36 букв второго кружка. Значит, двухбуквенных комбинаций возможно

$$36 \cdot 36 = 36^2 .$$

К каждой из этих комбинаций можно присоединить любую из 36 букв третьего кружка. Поэтому трехбуквенных комбинаций возможно

$$36^2 \cdot 36 = 36^3.$$

Таким же образом определяем, что четырехбуквенных комбинаций может быть 36^4, а пятибуквенных 36^5 или 60 466 176. Чтобы составить эти 60 с лишним миллионов комбинаций, потребовалось бы времени, считая по 3 секунды на каждую,

$$3 \cdot 60\ 466\ 176 = 181\ 398\ 528$$

секунд. Это составляет более 50 000 часов, или почти 6300 восьмичасовых рабочих дней — более 20 лет.

Значит, шансов на то, что шкаф будет открыт в течение ближайших 10 рабочих дней, имеется 10 на 6300, или один из 630. Это очень малая вероятность.

Суеверный велосипедист

ЗАДАЧА

До недавнего времени каждому велосипеду присваивался номер подобно тому, как это делается для автомашин. Эти номера были шестизначные.

Некто купил себе велосипед, желая выучиться ездить на нем. Владелец велосипеда оказался на редкость суеверным человеком. Узнав о существовании повреждения велосипеда, именуемого «восьмеркой», он решил, что удачи ему не будет, если ему достанется велосипедный номер, в котором будет хоть одна цифра 8. Однако, идя за получением номера, он утешал себя следующим рассуждением. В написании каждого

14

числа могут участвовать 10 цифр: 0, 1, ..., 9. Из них «несчастливой» является только цифра 8. Поэтому имеется лишь один шанс из десяти за то, что номер окажется «несчастливым».

Правильно ли было это рассуждение?

РЕШЕНИЕ

Всего имелось 999 999 номеров: от 000 001, 000 002 и т.д. до 999 999. Подсчитаем, сколько существует «счастливых» номеров. На первом месте может стоять любая из девяти «счастливых» цифр: 0, 1, 2, 3, 4, 5, 6, 7, 9. На втором — также любая из этих девяти цифр. Поэтому существует $9 \cdot 9 = 9^2$ «счастливых» двухзначных комбинаций. К каждой из этих комбинаций можно приписать (на третьем месте) любую из девяти цифр, так что «счастливых» трехзначных комбинаций возможно $9^2 \cdot 9 = 9^3$.

Таким же образом определяем, что число шестизначных «счастливых» комбинаций равно 9^6. Следует, однако, учесть, что в это число входит комбинация 000 000, которая непригодна в качестве велосипедного номера. Таким образом, число «счастливых» велосипедных номеров равно $9^6 - 1 = 531\ 440$, что составляет немногим более 53% всех номеров, а не 90%, как предполагал велосипедист.

Предоставляем читателю самостоятельно убедиться в том, что среди семизначных номеров имеется больше «несчастливых» номеров, чем «счастливых».

Итоги повторного удвоения

Разительный пример чрезвычайно быстрого возрастания самой маленькой величины при повторном ее удвоении дает общеизвестная легенда о награде изобретателю шахматной игры[1]. Не останавливаясь на этом классическом примере, приведу другие, не столь широко известные.

ЗАДАЧА

Инфузория парамеция каждые 27 часов (в среднем) делится пополам. Если бы все нарождающиеся таким образом инфузории оставались в живых, то сколько понадобилось бы времени, чтобы потомство одной парамеции заняло объем, равный объему Солнца?

Данные для расчета: 40-е поколение парамеций, не погибающих после деления, занимает в объеме 1 куб. м; объем Солнца примем равным 10^{27} куб. м.

РЕШЕНИЕ

Задача сводится к тому, чтобы определить, сколько раз нужно удваивать 1 куб. м, чтобы получить объем в 10^{27} куб. м. Делаем преобразования:

$$10^{27} = \left(10^3\right)^9 \approx \left(2^{10}\right)^9 = 2^{90},$$

так как $2^{10} \approx 1000$.

---

[1] См. книгу «Живая математика», глава седьмая.

16

Значит, сороковое поколение должно претерпеть еще 90 делений, чтобы вырасти до объема Солнца. Общее число поколений, считая от первого, равно 40 + 90 = 130. Легко сосчитать, что это произойдет на 147-е сутки.

Заметим, что фактически одним микробиологом (Метальниковым) наблюдалось 8061 деление парамеции. Предоставляю читателю самому рассчитать, какой колоссальный объем заняло бы последнее поколение, если бы ни одна инфузория из этого количества не погибла...

Вопрос, рассмотренный в этой задаче, можно предложить, так сказать, в обратном виде.

Вообразим, что наше Солнце разделилось пополам, половина также разделилась пополам и т.д. Сколько понадобится таких делений, чтобы получились частицы величиной с инфузорию?

Хотя ответ уже известен читателям — 130, он все же поражает своею несоразмерной скромностью.

Мне предложили ту же задачу в такой форме.

Листок бумаги разрывают пополам, одну из полученных половин снова делят пополам и т.д. Сколько понадобится делений, чтобы получить частицы атомных размеров?

Допустим, что бумажный лист весит 1 г, и примем для веса атома величину порядка $\frac{1}{10^{24}}$ г. Так как в последнем выражении можно заменить 10^{24} приближенно равным ему выражением 2^{80}, то ясно, что делений пополам потребуется всего 80, а вовсе не миллионы, как приходится иногда слышать в ответ на вопрос этой задачи.

В миллионы раз быстрее

Электрический прибор, называемый *триггером*, содержит две электронные лампы[1] (т.е. примерно такие лампы, которые применяются в радиоприемниках). Ток в триггере может идти только через одну лампу: либо через «левую», либо через «правую». Триггер имеет два контакта, к которым может быть извне подведен кратковременный электрический сигнал (импульс), и два контакта, через которые с триггера поступает ответный импульс. В момент прихода извне электрического импульса триггер переключается: лампа, через которую шел ток, выключается, а ток начинает идти уже через другую лампу. Ответный импульс подается триггером в тот момент, когда выключается правая лампа и включается левая.

Проследим, как будет работать триггер, если к нему подвести один за другим несколько электрических импульсов. Будем характеризовать состояние триггера по его *правой* лампе: если ток через правую лампу *не идет*, то скажем, что триггер находится в «положении 0», а если ток через правую лампу идет, — то в «положении 1».

---

[1] Существо дела не меняется, если вместо электронных ламп используются транзисторы или так называемые твердые (пленочные) схемы.

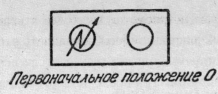

Первоначальное положение 0

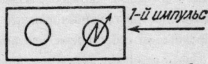

После первого импульса: положение 1

После второго импульса: положение 0
и подача ответного импульса

Рис. 1

Пусть первоначально триггер находился в положении 0, т.е. ток шел через левую лампу (рис. 1). После первого импульса ток будет идти через правую лампу, т.е. триггер переключится в положение 1. При этом ответного импульса с триггера не поступит, так как ответный сигнал подается в момент выключения правой (а не левой) лампы.

После второго импульса ток будет идти уже через левую лампу, т.е. триггер снова попадет в положение 0. Однако при этом триггер подаст ответный сигнал (импульс).

В результате (после двух импульсов) триггер снова придет к начальному состоянию. Поэтому после третьего импульса триггер (как и после первого) попадет в положение 1, а после четвертого (как и после второго) — в положение 0 с одновременной подачей ответного сигнала и т.д. После каждых двух импульсов состояния триггера повторяются.

Представим себе теперь, что имеются несколько триггеров и что импульсы извне подводятся к первому триггеру, ответные импульсы первого триггера подводятся ко второму, ответные импульсы второго — к третьему и т.д. (на рис. 2 триггеры расположены один за другим справа налево). Проследим, как будет работать такая цепочка триггеров.

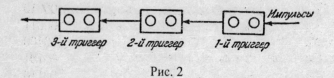

Рис. 2

Пусть сначала все триггеры находились в положениях 0. Например, для цепочки, состоящей из пяти триггеров, мы имели комбинацию 00000. После первого импульса первый триггер (самый правый) попадет в положение 1, а так как ответного импульса при этом не будет, то все остальные триггеры останутся в положениях 0, т.е. цепочка будет характеризоваться комбинацией 00001. После второго импульса первый триггер выключится (попадает в положение 0), но подаст при этом ответный импульс, благодаря чему включится второй триггер. Остальные триггеры останутся в положениях 0, т.е. получится комбинация 00010. После третьего импульса включится первый триггер, а остальные не изменят своих положений. Мы будем иметь комбинацию 00011. После четвертого импульса выключится первый триггер, подав ответный сигнал; от этого ответного импульса выключится второй триггер и также даст ответный импульс; наконец, от этого последнего импульса включится третий триггер. В результате мы получим комбинацию 00100.

Аналогичные рассуждения можно продолжать и далее. Посмотрим, что при этом получается:

1-й	импульс	—	комбинация	00001
2-й	»		»	00010
3-й	»		»	00011
4-й	»		»	00100
5-й	»		»	00101
6-й	»		»	00110
7-й	»		»	00111
8-й	»		»	01000

Мы видим, что цепочка триггеров «считает» поданные извне сигналы и своеобразным способом «записывает» число этих сигналов. Нетрудно видеть, что «запись» числа поданных импульсов происходит не в привычной для нас десятичной системе, а в двоичной системе счисления.

Всякое число в двоичной системе счисления записывается нулями и единицами. Единица следующего разряда не в десять раз (как в обычной десятичной записи), а только в два раза больше единицы предыдущего разряда. Единица, стоящая в двоичной записи на последнем (самом правом) месте, есть обычная единица. Единица следующего разряда (на втором месте справа) означает двойку, следующая единица означает четверку, затем восьмерку и т.д.

Например, число $19 = 16 + 2 + 1$ запишется в двоичной системе в виде 10011.

Итак, цепочка триггеров «подсчитывает» число поданных сигналов и «записывает» его по двоичной системе счисления. Отметим, что переключение триггера, т.е. регистрация одного приходящего импульса, продолжается всего... *стомиллионные доли секунды*! Современные триггерные счетчики могут «подсчитывать» десятки миллионов импульсов в секунду. Это в миллионы раз быстрее, чем счет, который может проводить человек без всяких приборов: глаз человека может отчетливо различать сигналы, следующие друг за другом не чаще, чем через 0,1 с.

Если составить цепочку из двадцати триггеров, т.е. записывать число поданных сигналов не более чем двадцатью цифрами двоичного разложения, то можно «считать» до $2^{20} - 1$; это число больше миллиона. Если же составить цепочку из 64 триггеров, то можно записать с их помощью знаменитое «шахматное число».

Возможность подсчитывать миллионы сигналов в секунду очень важна для экспериментальных работ, относящихся к ядерной физике. Например, можно подсчитывать число частиц того или иного вида, вылетающих при атомном распаде.

10 000 действий в секунду

Замечательно, что триггерные схемы позволяют также производить *действия* над числами. Рассмотрим, например, как можно осуществить сложение двух чисел.

Пусть три цепочки триггеров соединены так, как указано на рис. 3. Верхняя цепочка триггеров служит для записи первого слагаемого, вторая цепочка — для записи второго слагаемого, а нижняя цепочка — для получения суммы. В момент включения прибора на триггеры нижней цепочки приходят импульсы от тех триггеров верхней и средней цепочек, которые находятся в положении 1.

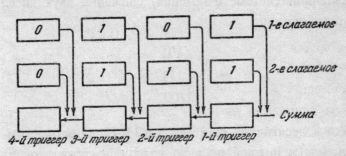

Рис. 3

Пусть, например, как это указано на рис. 3, в первых двух цепочках записаны слагаемые 101 и 111 (двоичная система счисления). Тогда на первый (самый правый) триггер нижней цепочки приходят (в момент включения прибора) два импульса: от первых триггеров каждого из слагаемых. Мы уже знаем, что в результате получения двух импульсов первый триггер останется в положении 0, но даст ответный импульс на второй триггер. Кроме того, на второй триггер приходит сигнал от второго слагаемого. Таким образом, на второй триггер приходят два импульса, вследствие чего второй триггер окажется в положении 0 и пошлет ответный импульс на третий триггер. Кроме того, на третий триггер приходят еще два импульса (от каждого из слагаемых). В результате полученных трех сигналов третий триггер перейдет в положение 1 и даст ответный импульс. Этот ответный импульс переводит четвертый триггер в положение 1 (других сигналов на четвертый триггер не поступает). Таким образом, изображенный на рис. 3 прибор выполнил (в двоичной системе счисления) сложение двух чисел «столбиком»:

$$\begin{array}{r} 101 \\ + 111 \\ \hline 1100 \end{array},$$

или в десятичной системе: $5 + 7 = 12$. Ответные импульсы в нижней цепочке триггеров соответствуют тому, что прибор как бы «запоминает в уме» одну единицу и переносит ее в следующий разряд, т.е. выполняет то же, что мы делаем при сложении «столбиком».

Если бы в каждой цепочке было не 4, а, скажем, 20 триггеров, то можно было бы производить сложение чисел в пределах миллиона, а при большем числе триггеров можно складывать еще бо́льшие числа.

Заметим, что в действительности прибор для выполнения сложения должен иметь несколько более сложную схему, чем та, которая изображена на рис. 3. В частности, в прибор должны быть включены особые устройства, осуществляющие «запаздывание» сигналов. В самом деле, при указанной схеме прибора сигналы от обоих слагаемых приходят на первый триггер нижней цепочки *одновременно* (в момент включения прибора). В результате оба сигнала сольются вместе и триггер воспримет их как *один* сигнал, а не как два. Во избежание этого нужно, чтобы сигналы от слагаемых приходили не одновременно, а с некоторым «запаздыванием» один после другого. Наличие таких «запаздываний» приводит к тому, что сложение двух чисел требует большего времени, чем регистрация одного сигнала в триггерном счетчике.

Изменив схему, можно заставить прибор выполнять не сложение, а вычитание. Можно также осуществить умножение (оно сводится к последовательному выполнению сложения и поэтому требует в несколько раз больше времени, чем сложение), деление и другие операции.

Устройства, о которых говорилось выше, применяются в современных вычислительных машинах. Эти машины могут выполнять десятки и даже сотни тысяч действий над числами в одну секунду! А в недалеком будущем будут созданы машины, рассчитанные на выполнение миллионов операций в секунду. Казалось бы, что такая головокружительная скорость выполнения действий ни к чему. Какая, например, может быть разница в том, сколько времени машина будет возводить в квадрат 15-значное число: одну десятитысячную долю секунды или, скажем, четверть секунды? И то и другое покажется нам «мгновенным» решением задачи...

Однако не спешите с выводами. Возьмем такой пример. Хороший шахматист, прежде чем сделать ход, анализирует десятки и даже сотни возможных вариантов. Если, скажем, исследование одного варианта требует нескольких секунд, то на разбор сотни вариантов нужны минуты и десятки минут. Нередко бывает, что в сложных партиях игроки попадают в «цейтнот», т.е. вынуждены быстро делать ходы, так как на обдумывание предыдущих ходов они затратили почти все положенное им время. А что, если исследование вариантов шахматной партии поручить машине? Ведь, делая тысячи вычислений в секунду, машина исследует все варианты «мгновенно» и никогда не попадет в цейтнот...

Вы, конечно, возразите, что одно дело — вычисления (хотя бы и очень сложные), а другое дело — игра в шахматы: машина не может этого делать! Ведь шахматист при исследовании вариантов не считает, а *думает*! Не будем спорить: мы еще вернемся к этому вопросу ниже.

Число возможных шахматных партий

Займемся приблизительным подсчетом числа различных шахматных партий, какие вообще могут быть сыграны на шахматной доске. Точный подсчет в этом случае немыслим, но мы познакомим читателя с попыткой приближенно оценить величину числа возможных шахматных партий. В книге бельгийского математика М. Крайчика «Математика игр и математические развлечения» находим такой подсчет:

«При первом ходе белые имеют выбор из 20 ходов (16 ходов восьми пешек, каждая из которых может передвинуться на одно или на два поля, и по два хода каждого коня). На каждый ход белых черные могут ответить одним из тех же 20 ходов. Сочетая каждый ход белых с каждым ходом черных, имеем $20 \times 20 = 400$ различных партий после первого хода каждой стороны.

После первого хода число возможных ходов увеличивается. Если, например, белые сделали первый ход e2—e4, они для второго хода имеют выбор из 29 ходов. В дальнейшем число возможных ходов еще больше. Один только ферзь, стоя, например, на поле d5, имеет выбор из 27 ходов (предполагая, что все поля, куда он может стать, свободны). Однако ради упрощения расчета будем держаться следующих средних чисел:

по 20 возможных ходов для обеих сторон при первых пяти ходах;

по 30 возможных ходов для обеих сторон при последующих ходах.

Примем, кроме того, что среднее число ходов нормальной партии равно 40. Тогда для числа возможных партий найдем выражение

$$(20 \cdot 20)^5 \cdot (30 \cdot 30)^{35}».$$

Чтобы определить приближенно величину этого выражения, пользуемся следующими преобразованиями и упрощениями:

$$(20 \cdot 20)^5 \cdot (30 \cdot 30)^{35} = 20^{10} \cdot 30^{70} = 2^{10} \cdot 3^{70} \cdot 10^{80}.$$

Заменяем 2^{10} близким ему числом 1000, т.е. 10^3.

Выражение 3^{70} представляем в виде:

$$3^{70} = 3^{68} \cdot 3^2 \approx 10 \, (3^4)^{17} \approx 10 \cdot 80^{17} = 10 \cdot 8^{17} \cdot 10^{17} =$$
$$= 2^{51} \cdot 10^{18} = 2 \, (2^{10})^5 \cdot 10^{18} \approx 2 \cdot 10^{15} \cdot 10^{18} = 2 \cdot 10^{33}.$$

Следовательно,

$$(20 \cdot 20)^5 \cdot (30 \cdot 30)^{35} \approx 10^3 \cdot 2 \cdot 10^{33} \cdot 10^{80} = 2 \cdot 10^{116}.$$

Число это оставляет далеко позади себя легендарное множество пшеничных зерен, испрошенных в награду за изобретение шахматной игры ($2^{64} - 1 \approx 18 \cdot 10^{18}$). Если бы все население земного шара круглые сутки играло в шахматы, делая ежесекундно по одному ходу, то для исчерпания всех возможных шахматных партий такая непрерывная поголовная игра должна была бы длиться не менее 10^{100} веков!

Секрет шахматного автомата

Вы, вероятно, очень удивитесь, узнав, что некогда существовали шахматные автоматы. Действительно, как примирить это с тем, что число комбинаций фигур на шахматной доске практически бесконечно?

Дело разъясняется очень просто. Существовал не шахматный автомат, а только вера в него. Особенной популярностью пользовался автомат венгерского механика Вольфганга фон Кемпелена (1734—1804), который показывал свою машину при австрийском и русском дворах, а затем демонстрировал публично в Париже и Лондоне. Наполеон I играл с этим автоматом, уверенный, что меряется силами с машиной. В середине XIX века знаменитый автомат попал в Америку и кончил там свое существование во время пожара в Филадельфии.

Другие автоматы шахматной игры пользовались уже не столь громкой славой. Тем не менее вера в существование подобных автоматически действующих машин не иссякла и в позднейшее время.

В действительности ни одна шахматная машина не действовала автоматически. Внутри прятался искусный живой шахматист, который и двигал фигуры. Тот мнимый автомат, о котором мы сейчас упоминали, представлял собою объемистый ящик, заполненный сложным механизмом. На ящике имелась шахматная доска с фигурами, передвигавшимися рукой большой куклы. Перед началом игры публике давали возможность удостовериться, что внутри ящика нет ничего, кроме деталей механизма. Однако в нем оставалось достаточно места, чтобы скрыть человека небольшого роста (эту роль играли одно время знаменитые игроки Иоганн Альгайер и Вильям Льюис). Возможно, что пока публике показывали последовательно разные части ящика, спрятанный человек бесшумно перебирался в соседние отделения. Механизм же никакого участия в работе аппарата не принимал и лишь маскировал присутствие живого игрока.

Из всего сказанного можно сделать следующий вывод: число шахматных партий практически бесконечно, а машины, позволяющие автоматически выбрать самый правильный ход, существуют лишь в воображении легковерных людей. Поэтому шахматного кризиса опасаться не приходится.

Однако в последние годы произошли события, позволяющие усомниться в правильности этого вывода: сейчас *уже существуют* машины, «играющие» в шахматы. Это — сложные вычислительные машины, позволяющие выполнять многие тысячи вычислений в секунду. О таких машинах мы уже говорили выше. Как же может машина «играть» в шахматы?

Конечно, никакая вычислительная машина ничего, кроме действий над числами, делать не может. Но вычисления проводятся машиной по определенной схеме действий, по определенной *программе*, составленной заранее.

Шахматная «программа» составляется математиками на основе определенной *тактики* игры, причем

30

под тактикой понимается система правил, позволяющая для каждой позиции выбрать единственный («наилучший» в смысле этой тактики) ход. Вот один из примеров такой тактики. Каждой фигуре приписывается определенное число очков (стоимость):

Король	+200 очков	Пешка	+1 очко
Ферзь	+9 очков	Отсталая пешка . .	−0,5 очка
Ладья	+5 очков	Изолированная	
Слон	+3 очка	пешка	−0,5 очка
Конь	+3 очка	Сдвоенная пешка . .	−0,5 очка

Кроме того, определенным образом оцениваются позиционные преимущества (подвижность фигур, расположение фигур ближе к центру, чем к краям, и т.д.), которые выражаются в десятых долях очка. Вычтем из общей суммы очков для белых фигур сумму очков для черных фигур. Полученная разность до некоторой степени характеризует материальный и позиционный перевес белых над черными. Если эта разность положительна, то у белых более выгодное положение, чем у черных, если же она отрицательна — менее выгодное положение.

Вычислительная машина подсчитывает, как может измениться указанная разность в течение ближайших трех ходов, выбирает наилучший вариант из всех возможных трехходовых комбинаций и печатает его на специальной карточке: «ход» сделан[1]. На один

---

[1] Существуют и другие виды шахматной «тактики». Так, например, при вычислениях можно рассматривать не все возможные ответные ходы противника, а только «сильные» ходы

ход машина тратит очень немного времени (в зависимости от вида программы и скорости действия машины), так что опасаться «цейтнота» ей не приходится.

Конечно, «обдумывание» партии только на три хода вперед характеризует машину как довольно слабого «игрока»[1]. Но можно не сомневаться в том, что при происходящем сейчас быстром совершенствовании вычислительной техники машины скоро «научатся» гораздо лучше «играть» в шахматы.

Более подробно рассказать о составлении шахматной программы для вычислительных машин было бы в этой книге затруднительно. Некоторые простейшие виды программ мы рассмотрим схематически в следующей главе.

Тремя двойками

Всем, вероятно, известно, как следует написать три цифры, чтобы изобразить ими возможно большее число. Надо взять три девятки и расположить их так:

$$9^{9^9}$$

т.е. написать третью «сверхстепень» от 9.

(шах, взятие, нападение, защита и т.д.). Далее, при особо сильных ходах противника можно вести вычисления не на три, а на большее число ходов вперед. Можно также использовать иную шкалу стоимости фигур. В зависимости от выбора той или иной тактики меняется «стиль игры» машины.

[1] В партиях лучших мастеров шахматной игры встречаются комбинации, рассчитанные за 10 и более ходов вперед.

Число это столь чудовищно велико, что никакие сравнения не помогают уяснить себе его грандиозность. Число электронов видимой Вселенной ничтожно по сравнению с ним. В моей «Занимательной арифметике» (гл. десятая) уже говорилось об этом. Возвращаюсь к этой задаче лишь потому, что хочу предложить здесь по ее образцу другую.

Тремя двойками, не употребляя знаков действий, написать возможно большее число.

РЕШЕНИЕ

Под свежим впечатлением трехъярусного расположения девяток вы, вероятно, готовы дать и двойкам такое же расположение:

$$2^{2^2}$$

Однако на этот раз ожидаемого эффекта не получается. Написанное число невелико — меньше даже, чем 222. В самом деле: ведь мы написали всего лишь 2^4, т.е. 16.

Подлинно наибольшее число из трех двоек — не 222 и не 22^2 (т.е. 484), а

$$2^{22} = 4\ 194\ 304.$$

Пример очень поучителен. Он показывает, что в математике опасно поступать по аналогии; она легко может повести к ошибочным заключениям.

Тремя тройками

ЗАДАЧА

Теперь, вероятно, вы осмотрительнее приступите к решению следующей задачи.

Тремя тройками, не употребляя знаков действий, написать возможно большее число.

РЕШЕНИЕ

Трехъярусное расположение и здесь не приводит к ожидаемому эффекту, так как

$$3^{3^3}, \text{ т.е. } 3^{27}, \text{ меньше чем } 3^{33}.$$

Последнее расположение и дает ответ на вопрос задачи.

Тремя четверками

ЗАДАЧА

Тремя четверками, не употребляя знаков действий, написать возможно большее число.

РЕШЕНИЕ

Если в данном случае вы поступите по образцу двух предыдущих задач, т.е. дадите ответ

$$4^{44},$$

то ошибетесь, потому что на этот раз трехъярусное расположение

$$4^{4^4}$$

как раз дает большее число. В самом деле, $4^4 = 256$, а 4^{256} больше чем 4^{44}.

Тремя одинаковыми цифрами

Попытаемся углубиться в это озадачивающее явление и установить, почему одни цифры порождают числовые исполины при трехъярусном расположении, другие — нет. Рассмотрим общий случай.

Тремя одинаковыми цифрами, не употребляя знаков действий, изобразить возможно большее число.

Обозначим цифру буквой a. Расположению

$$2^{22}, 3^{33}, 4^{44}$$

соответствует написание

$$a^{10a+a}, \text{ т.е. } a^{11a}.$$

Расположение же трехъярусное представится в общем виде так:

$$a^{a^a}.$$

Определим, при каком значении a последнее расположение изображает большее число, нежели первое. Так как оба выражения представляют степени с равными целыми основаниями, то бо́льшая величина отвечает большему показателю. Когда же

$$a^a > 11a?$$

Разделим обе части неравенства на a. Получим:

$$a^{a-1} > 11.$$

Легко видеть, что a^{a-1} больше 11 только при условии, что *a* больше 3, потому что

$$4^{4-1} > 11,$$

между тем как степени

$$3^2 \text{ и } 2^1$$

меньше 11.

Теперь понятны те неожиданности, с которыми мы сталкивались при решении предыдущих задач: для двоек и троек надо было брать одно расположение, для четверок и бо́льших чисел — другое.

Четырьмя единицами

ЗАДАЧА

Четырьмя единицами, не употребляя никаких знаков математических действий, написать возможно большее число.

РЕШЕНИЕ

Естественно приходящее на ум число — 1111 — не отвечает требованию задачи, так как степень

$$11^{11}$$

во много раз больше. Вычислять это число десятикратным умножением на 11 едва ли у кого хватит терпения. Но можно оценить его величину гораздо быстрее с помощью логарифмических таблиц.

Число это превышает 285 миллиардов и, следовательно, больше числа 1111 в 25 с лишним млн. раз.

Четырьмя двойками

ЗАДАЧА

Сделаем следующий шаг в развитии задач рассматриваемого рода и поставим наш вопрос для четырех двоек.

При каком расположении четыре двойки изображают наибольшее число?

РЕШЕНИЕ

Возможны 8 комбинаций:

$$2222, 222^2, 22^{22}, 2^{222},$$

$$22^{2^2}, 2^{22^2}, 2^{2^{22}}, 2^{2^{2^2}}.$$

Какое же из этих чисел наибольшее?

Займемся сначала верхним рядом, т.е. числами в двухъярусном расположении.

Первое — 2222, — очевидно, меньше трех прочих.

Чтобы сравнить следующие два —

$$222^2 \text{ и } 22^{22},$$

преобразуем второе из них:

$$22^{22} = 22^{2 \cdot 11} = \left(22^2\right)^{11} = 484^{11}.$$

Последнее число больше, нежели 222^2, так как и основание, и показатель у степени 484^{11} больше, чем у степени 222^2.

Сравним теперь 22^{22} с четвертым числом первой строки — с 2^{222}. Заменим 22^{22} бо́льшим числом 32^{22} и покажем, что даже это большее число уступает по величине числу 2^{222}. В самом деле,

$$32^{22} = (2^5)^{22} = 2^{110}$$

— степень меньшая, нежели 2^{222}.

Итак, наибольшее число верхней строки — 2^{222}. Теперь нам остается сравнить между собой пять чисел — сейчас полученное и следующие четыре:

$$22^{2^2}, \ 2^{22^2}, \ 2^{2^{22}}, \ 2^{2^{2^2}}.$$

Последнее число, равное всего 2^{16}, сразу выбывает из состязания. Далее, первое число этого ряда, равное 22^4 и меньшее, чем 32^4 или 2^{20}, меньше каждого из двух следующих. Подлежат сравнению, следовательно, три числа, каждое из которых есть степень 2. Больше, очевидно, та степень 2, показатель которой больше. Но из трех показателей

$$222, \ 484 \text{ и } 2^{20+2} \ (= 2^{10 \cdot 2} \cdot 2^2 \approx 10^6 \cdot 4)$$

последний — явно наибольший.

Поэтому наибольшее число, какое можно изобразить четырьмя двойками, таково:

$$2^{2^{22}}.$$

Не обращаясь к услугам логарифмических таблиц, мы можем составить себе приблизительное представление о величине этого числа, пользуясь приближенным равенством

$$2^{10} \approx 1000.$$

В самом деле,

$$2^{22} = 2^{20} \cdot 2^2 \approx 4 \cdot 10^6,$$

$$2^{2^{22}} \approx 2^{4000000} > 10^{1200000}.$$

Итак, в этом числе — свыше миллиона цифр.

ГЛАВА ВТОРАЯ

ЯЗЫК АЛГЕБРЫ

Искусство составлять уравнения

Язык алгебры — уравнения. «Чтобы решить вопрос, относящийся к числам или к отвлеченным отношениям величин, нужно лишь перевести задачу с родного языка на язык алгебраический», — писал великий Ньютон в своем учебнике алгебры, озаглавленном «Всеобщая арифметика». Как именно выполняется такой перевод с родного языка на алгебраический, Ньютон показал на примерах. Вот один из них.

На родном языке	*На языке алгебры*
Купец имел некоторую сумму денег	x
В первый год он истратил 100 фунтов	$x - 100$
К оставшейся сумме добавил третью ее часть	$(x-100)+\dfrac{x-100}{3}=\dfrac{4x-400}{3}$

В следующем году он вновь истратил 100 фунтов	$\dfrac{4x-400}{3}-100=\dfrac{4x-700}{3}$
И увеличил оставшуюся сумму на третью ее часть	$\dfrac{4x-700}{3}+\dfrac{4x-700}{9}=$ $=\dfrac{16x-2800}{9}$
В третьем году он опять истратил 100 фунтов	$\dfrac{16x-2800}{9}-100=\dfrac{16x-3700}{9}$
После того как он добавил к остатку третью его часть,	$\dfrac{16x-3700}{9}+\dfrac{16x-3700}{27}=$ $\dfrac{64x-14\,800}{27}$
капитал его стал вдвое больше первоначального	$\dfrac{64x-14\,800}{27}=2x$

Чтобы определить первоначальный капитал купца, остается только решить последнее уравнение.

Решение уравнений — зачастую дело нетрудное; составление уравнений по данным задачи затрудняет больше. Вы видели сейчас, что искусство составлять уравнения действительно сводится к умению переводить «с родного языка на алгебраический». Но язык алгебры весьма немногословен; поэтому перевести на него удается без труда далеко не каждый оборот родной речи. Переводы попадаются различные по трудности, как убедится читатель из ряда приведенных далее примеров на составление уравнений первой степени.

Жизнь Диофанта

ЗАДАЧА

История сохранила нам мало черт биографии замечательного древнего математика Диофанта. Все, что известно о нем, почерпнуто из надписи на его гробнице — надписи, составленной в форме математической задачи. Мы приведем эту надпись.

На родном языке	*На языке алгебры*
Путник! Здесь прах погребен Диофанта. И числа поведать Могут, о чудо, сколь долог был век его жизни.	x
Часть шестую его представляло прекрасное детство.	$\dfrac{x}{6}$
Двенадцатая часть протекла еще жизни — покрылся Пухом тогда подбородок.	$\dfrac{x}{12}$
Седьмую в бездетном Браке провел Диофант.	$\dfrac{x}{7}$
Прошло пятилетие; он Был осчастливен рожденьем прекрасного первенца сына,	5
Коему рок половину лишь жизни прекрасной и светлой Дал на земле по сравненью с отцом.	$\dfrac{x}{2}$
И в печали глубокой Старец земного удела конец воспринял, переживши Года четыре с тех пор, как сына лишился.	$x = \dfrac{x}{6} + \dfrac{x}{12} + \dfrac{x}{7} +$ $+ 5 + \dfrac{x}{2} + 4$

РЕШЕНИЕ

Решив уравнение и найдя, что $x = 84$, узнаем следующие черты биографии Диофанта; он женился 21-го года, стал отцом на 38-м году, потерял сына на 80-м году и умер 84-х лет.

Лошадь и мул

ЗАДАЧА

Вот еще несложная старинная задача, легко переводимая с родного языка на язык алгебры.

«Лошадь и мул шли бок о бок с тяжелой поклажей на спине. Лошадь жаловалась на свою непомерно тяжелую ношу. «Чего ты жалуешься? — отвечал ей мул. — Ведь если я возьму у тебя один мешок, ноша моя станет вдвое тяжелее твоей. А вот если бы ты сняла с моей спины один мешок, твоя поклажа стала бы одинакова с моей».

Скажите же, мудрые математики, сколько мешков несла лошадь и сколько нес мул?»

РЕШЕНИЕ

Если я возьму у тебя один мешок,	$x - 1$
ноша моя	$y + 1$
станет вдвое тяжелее твоей.	$y + 1 = 2(x - 1)$

А вот если бы ты сняла с моей спины один мешок,	$y - 1$
твоя поклажа	$x + 1$
стала бы одинакова с моей.	$y - 1 = x + 1$

Мы привели задачу к системе уравнений с двумя неизвестными:

$$\left.\begin{array}{l} y + 1 = 2\,(x - 1) \\ y - 1 = x + 1 \end{array}\right\} \quad \text{или} \quad \left\{\begin{array}{l} 2x - y = 3 \\ y - x = 2 \end{array}\right.$$

Решив ее, находим: $x = 5$, $y = 7$. Лошадь несла 5 мешков и 7 мешков — мул.

Четверо братьев

ЗАДАЧА

У четырех братьев 45 рублей. Если деньги первого увеличить на 2 рубля, деньги второго уменьшить на 2 рубля, деньги третьего увеличить вдвое, а деньги четвертого уменьшить вдвое, то у всех окажется поровну. Сколько было у каждого?

РЕШЕНИЕ

У четырех братьев 45 руб.	$x + y + z + t = 45$
Если деньги первого увеличить на 2 руб.,	$x + 2$
деньги второго уменьшить на 2 руб.,	$y - 2$

деньги третьего увеличить вдвое,	$2z$
деньги четвертого уменьшить вдвое,	$\dfrac{t}{2}$
то у всех окажется поровну.	$x + 2 = y - 2 = 2z = \dfrac{t}{2}$

Расчленяем последнее уравнение на три отдельных:

$$x + 2 = y - 2,$$
$$x + 2 = 2z,$$
$$x + 2 = \frac{t}{2},$$

откуда

$$y = x + 4,$$
$$z = \frac{x + 2}{2},$$
$$t = 2x + 4.$$

Подставив эти значения в первое уравнение, получаем:

$$x + x + 4 + \frac{x + 2}{2} + 2x + 4 = 45,$$

откуда $x = 8$. Далее находим: $y = 12$, $z = 5$, $t = 20$. Итак, у братьев было:

8 руб., 12 руб., 5 руб., 20 руб.

45

Птицы у реки

ЗАДАЧА

У одного арабского математика XI века находим следующую задачу.

На обоих берегах реки растет по пальме, одна против другой. Высота одной — 30 локтей, другой — 20 локтей; расстояние между их основаниями — 50 локтей. На верхушке каждой пальмы сидит птица. Внезапно обе птицы заметили рыбу, выплывшую к поверхности воды между пальмами; они кинулись к ней разом и достигли ее одновременно.

Рис. 4

На каком расстоянии от основания более высокой пальмы появилась рыба?

РЕШЕНИЕ

Из схематического чертежа (рис. 5), пользуясь теоремой Пифагора, устанавливаем:

$$AB^2 = 30^2 + x^2, \quad AC^2 = 20^2 + (50 - x)^2.$$

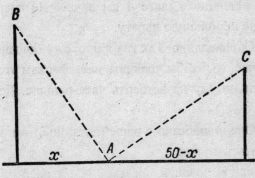

Рис. 5

Но $AB = AC$, так как обе птицы пролетели эти расстояния в одинаковое время. Поэтому

$$30^2 + x^2 = 20^2 + (50 - x)^2.$$

Раскрыв скобки и сделав упрощения, получаем уравнение первой степени $100x = 2000$, откуда $x = 20$. Рыба появилась в 20 локтях от той пальмы, высота которой 30 локтей.

Прогулка

ЗАДАЧА

— Зайдите ко мне завтра днем, — сказал старый доктор своему знакомому.

47

— Благодарю вас. Я выйду в три часа. Может быть, и вы надумаете прогуляться, так выходите в то же время, встретимся на полпути.

— Вы забываете, что я старик, шагаю в час всего только 3 км, а вы, молодой человек, проходите при самом медленном шаге 4 км в час. Не грешно бы дать мне небольшую льготу.

— Справедливо. Так как я прохожу больше вас на 1 км в час, то, чтобы уравнять нас, дам вам этот километр, т.е. выйду на четверть часа раньше. Достаточно?

— Очень любезно с вашей стороны, — поспешил согласиться старик.

Молодой человек так и сделал: вышел из дому в три четверти третьего и шел со скоростью 4 км в час. А доктор вышел ровно в три и делал по 3 км в час. Когда они встретились, старик повернул обратно и направился домой вместе с молодым другом.

Только возвратившись к себе домой, сообразил молодой человек, что из-за льготной четверти часа ему пришлось в общем итоге пройти не вдвое, а вчетверо больше, чем доктору.

Как далеко от дома доктора до дома его молодого знакомого?

РЕШЕНИЕ

Обозначим расстояние между домами через x (км).

Молодой человек всего прошел $2x$, а доктор вчетверо меньше, т.е. $\dfrac{x}{2}$. До встречи доктор прошел половину пройденного им пути, т.е. $\dfrac{x}{4}$, а молодой человек — остальное, т.е. $\dfrac{3x}{4}$. Свою часть пути доктор прошел в $\dfrac{x}{12}$ часа, а молодой человек — в $\dfrac{3x}{16}$ часа, причем мы знаем, что он был в пути на $\dfrac{1}{4}$ часа дольше, чем доктор.

Имеем уравнение

$$\frac{3x}{16} - \frac{x}{12} = \frac{1}{4},$$

откуда $x = 2{,}4$ км.

От дома молодого человека до дома доктора 2,4 км.

Артель косцов

Известный физик А.В. Цингер в своих воспоминаниях о Л.Н. Толстом рассказывает о следующей задаче, которая очень нравилась великому писателю:

«Артели косцов надо было скосить два луга, один вдвое больше другого. Половину дня артель косила большой луг. После этого артель разделилась пополам: первая половина осталась на большом лугу и докосила его к вечеру до конца; вторая же половина косила малый луг, на котором к вечеру еще остался участок, скошенный на другой день одним косцом за один день работы.

Сколько косцов было в артели?»

Рис. 6

РЕШЕНИЕ

В этом случае, кроме главного неизвестного — числа косцов, которое мы обозначим через x, — удобно ввести еще и вспомогательное, именно — размер участка, скашиваемого одним косцом в 1 день; обозначим его через y. Хотя задача и не требует его определения, оно облегчит нам нахождение главного неизвестного.

Выразим через x и y площадь большого луга. Луг этот косили полдня x косцов; они скосили

$$x \cdot \frac{1}{2} \cdot y = \frac{xy}{2}.$$

Вторую половину дня его косила только половина артели, т.е. $\frac{x}{2}$ косцов; они скосили

$$\frac{x}{2} \cdot \frac{1}{2} \cdot y = \frac{xy}{4}.$$

Так как к вечеру скошен был весь луг, то площадь его равна

$$\frac{xy}{2} + \frac{xy}{4} = \frac{3xy}{4}.$$

Выразим теперь через x и y площадь меньшего луга. Его полдня косили $\frac{x}{2}$ косцов и скосили площадь

$\frac{x}{2} \cdot \frac{1}{2} \cdot y = \frac{xy}{4}$. Прибавим недокошенный участок, как раз равный y (площади, скашиваемой одним косцом в 1 рабочий день), и получим площадь меньшего луга:

$$\frac{xy}{4} + y = \frac{xy + 4y}{4}.$$

Остается перевести на язык алгебры фразу: «первый луг вдвое больше второго», — и уравнение составлено:

$$\frac{3xy}{4} : \frac{xy + 4y}{4} = 2, \quad \text{или} \quad \frac{3xy}{xy + 4y} = 2.$$

Сократим дробь в левой части уравнения на y; вспомогательное неизвестное благодаря этому исключается, и уравнение принимает вид

$$\frac{3x}{x+4} = 2, \text{ или } 3x = 2x + 8,$$

откуда $x = 8$.

В артели было 8 косцов.

После напечатания первого издания «Занимательной алгебры» проф. А.В. Цингер прислал мне подробное и весьма интересное сообщение, касающееся этой задачи. Главный эффект задачи, по его мнению, в том, что «она совсем не алгебраическая, а арифметическая и притом крайне простая, затрудняющая только своей нешаблонной формой».

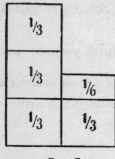

Рис. 7

«История этой задачи такова, — продолжает проф. А.В. Цингер. — В Московском университете на математическом факультете в те времена, когда там учились мой отец и мой дядя И.И. Раевский (близкий друг Л. Толстого), среди прочих предметов преподавалось нечто вроде педагогики. Для этой цели студенты должны были посещать отведенную для университета городскую народную школу и там в сотрудничестве с опытными искусными учителями упражняться в преподавании. Среди товарищей Цингера и Раевского был некий

52

студент Петров, по рассказам — чрезвычайно одаренный и оригинальный человек. Этот Петров (умерший очень молодым, кажется, от чахотки) утверждал, что на уроках арифметики учеников портят, приучая их к шаблонным задачам и к шаблонным способам решения. Для подтверждения своей мысли Петров изобретал задачи, которые вследствие нешаблонности очень затрудняли «опытных искусных учителей», но легко решались более способными учениками, еще не испорченными учебой. К числу таких задач (их Петров сочинил несколько) относится и задача об артели косцов. Опытные учителя, разумеется, легко могли решать ее при помощи уравнения, но простое арифметическое решение от них ускользало. Между тем задача настолько проста, что привлекать для ее решения алгебраический аппарат совсем не стоит.

Если большой луг полдня косила вся артель и полдня пол-артели, то ясно, что в полдня пол-артели скашивает $\dfrac{1}{3}$ луга. Следовательно, на малом лугу остался нескошенным участок в $\dfrac{1}{2} - \dfrac{1}{3} = \dfrac{1}{6}$. Если один косец в день скашивает $\dfrac{1}{6}$ луга, а скошено было $\dfrac{6}{6} + \dfrac{2}{6} = \dfrac{8}{6}$, то косцов было 8.

Толстой, всю жизнь любивший фокусные, не слишком хитрые задачи, эту задачу знал от моего отца еще с молодых лет. Когда об этой задаче пришлось беседовать мне с Толстым — уже стариком, его особенно восхитило то, что задача делается гораздо яснее и прозрачнее, если при решении пользоваться самым примитивным чертежом (рис. 7)».

Ниже нам встретятся еще несколько задач, которые при некоторой сообразительности проще решаются арифметически, чем алгебраически.

Коровы на лугу

ЗАДАЧА

«При изучении наук задачи полезнее правил», — писал Ньютон в своей «Всеобщей арифметике» и сопровождал теоретические указания рядом примеров.

В числе этих упражнений находим задачу о быках, пасущихся на лугу, — родоначальницу особого типа своеобразных задач наподобие следующей.

«Трава на всем лугу растет одинаково густо и быстро. Известно, что 70 коров поели бы ее в 24 дня, а 30 коров — в

Рис. 8

60 дней. Сколько коров поели бы всю траву луга в 96 дней?»

54

Задача эта послужила сюжетом для юмористического рассказа, напоминающего чеховский «Репетитор». Двое взрослых, родственники школьника, которому эту задачу задали для решения, безуспешно трудятся над нею и недоумевают:

— Выходит что-то странное, — говорит один из решающих. — Если в 24 дня 70 коров поедают всю траву луга, то сколько коров съедят ее в 96 дней? Конечно, $\frac{1}{4}$ от 70, т.е. $17\frac{1}{2}$ коров... Первая нелепость! А вот вторая: 30 коров поедают траву в 60 дней; сколько коров съедят ее в 96 дней? Получается еще хуже: $18\frac{3}{4}$ коровы. Кроме того: если 70 коров поедают траву в 24 дня, то 30 коров употребляют на это 56 дней, а вовсе не 60, как утверждает задача.

— А приняли вы в расчет, что трава все время растет? — спрашивает другой.

Замечание резонное: трава непрерывно растет, и если этого не учитывать, то не только нельзя решить задачи, но и само условие ее будет казаться противоречивым.

Как же решается задача?

РЕШЕНИЕ

Введем и здесь вспомогательное неизвестное, которое будет обозначать суточный прирост травы в долях ее запаса на лугу. В одни сутки прирастает *y*, в

24 дня — 24y; если общий запас принять за 1, то в течение 24 дней коровы съедают

$$1 + 24y.$$

В сутки все стадо (из 70 коров) съедает

$$\frac{1 + 24y}{24},$$

а одна корова съедает

$$\frac{1 + 24y}{24 \cdot 70}.$$

Подобным же образом из того, что 30 коров поели бы траву того же луга в 60 суток, выводим, что одна корова съедает в сутки

$$\frac{1 + 60y}{30 \cdot 60}.$$

Но количество травы, съедаемое коровой в сутки, для обоих стад одинаково. Поэтому

$$\frac{1 + 24y}{24 \cdot 70} = \frac{1 + 60y}{30 \cdot 60},$$

откуда

$$y = \frac{1}{480}.$$

Найдя y (величину прироста), легко уже определить, какую долю первоначального запаса травы съедает одна корова в сутки:

$$\frac{1 + 24y}{24 \cdot 70} = \frac{1 + 24 \cdot \dfrac{1}{480}}{24 \cdot 70} = \frac{1}{1600}.$$

Наконец, составляем уравнение для окончательного решения задачи: если искомое число коров *x,* то

$$\frac{1 + 96 \cdot \dfrac{1}{480}}{96x} = \frac{1}{1600},$$

откуда *x* = 20.

20 коров поели бы всю траву в 96 дней.

Задача Ньютона

Рассмотрим теперь ньютонову задачу о быках, по образцу которой составлена сейчас рассмотренная.

Задача, впрочем, придумана не самим Ньютоном; она является продуктом народного математического творчества.

«Три луга, покрытые травой одинаковой густоты и скорости роста, имеют площади: $3\frac{1}{3}$ га, 10 га и 24 га. Первый прокормил 12 быков в продолжение 4 недель; второй — 21 быка в течение 9 недель. Сколько быков может прокормить третий луг в течение 18 недель?»

РЕШЕНИЕ

Введем вспомогательное неизвестное *y,* означающее, какая доля первоначального запаса травы прирастает на 1 га в течение недели. На первом лугу в те-

чение недели прирастает травы $3\frac{1}{3}y$, а в течение

4 недель $3\frac{1}{3}y\cdot 4=\frac{40}{3}y$ того запаса, который перво-

начально имелся на 1 га. Это равносильно тому, как

если бы первоначальная площадь луга увеличилась и

сделалась равной

$$\left(3\frac{1}{3}+\frac{40}{3}y\right)$$

гектаров. Другими словами, быки съели столько тра-

вы, сколько покрывает луг площадью в $3\frac{1}{3}+\frac{40}{3}y$

гектаров. В одну неделю 12 быков поели четвертую

часть этого количества, а 1 бык в неделю $\frac{1}{48}$ часть,

т.е. запас, имеющийся на площади

$$\left(3\frac{1}{3}+\frac{40y}{3}\right):48=\frac{10+40y}{144}$$

гектаров.

Подобным же образом находим площадь луга,

кормящего одного быка в течение недели, из данных

для второго луга:

недельный прирост на	1 га =	$y,$
9-недельный прирост на	1 га =	$9y,$
9-недельный прирост на	10 га =	$90y.$

Площадь участка, содержащего запас травы для прокормления 21 быка в течение 9 недель, равна

$$10 + 90y.$$

Площадь, достаточная для прокормления 1 быка в течение недели, —

$$\frac{10 + 90y}{9 \cdot 21} = \frac{10 + 90y}{189}$$

гектаров. Обе нормы прокормления должны быть одинаковы:

$$\frac{10 + 40y}{144} = \frac{10 + 90y}{189}.$$

Решив это уравнение, находим $y = \frac{1}{12}$.

Определим теперь площадь луга, наличный запас травы которого достаточен для прокормления одного быка в течение недели:

$$\frac{10 + 40y}{144} = \frac{10 + 40 \cdot \dfrac{1}{12}}{144} = \frac{5}{54}$$

гектаров. Наконец, приступаем к вопросу задачи. Обозначив искомое число быков через x, имеем:

$$\frac{24 + 24 \cdot 18 \cdot \dfrac{1}{12}}{18x} = \frac{5}{54},$$

откуда $x = 36$. Третий луг может прокормить в течение 18 недель 36 быков.

Перестановка часовых стрелок

ЗАДАЧА

Биограф и друг известного физика А. Эйнштейна А. Мошковский, желая однажды развлечь своего приятеля во время болезни, предложил ему следующую задачу (рис. 9):

«Возьмем, — сказал Мошковский, — положение стрелок в 12 часов. Если бы в этом положении боль-

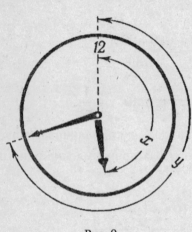

Рис. 9

шая и малая стрелки обменялись местами, они дали бы все же правильные показания. Но в другие моменты, — например, в 6 часов, взаимный обмен стрелок привел бы к абсурду, к положению, какого на правильно идущих часах быть не может: минутная стрелка не может стоять на 6, когда часовая показывает 12. Возникает вопрос: когда и как часто стрелки часов занимают такие положения, что замена одной другою дает новое положение, тоже возможное на правильных часах?

— Да, — ответил Эйнштейн, — это вполне подходящая задача для человека, вынужденного из-за болезни оставаться в постели: достаточно интересная и не слишком легкая. Боюсь только, что развлечение продлится недолго: я уже напал на путь к решению.

И, приподнявшись на постели, он несколькими штрихами набросал на бумаге схему, изображающую условие задачи. Для решения ему понадобилось не больше времени, чем мне на формулировку задачи...»

Как же решается эта задача?

РЕШЕНИЕ

Будем измерять расстояния стрелок по кругу циферблата от точки, где стоит цифра 12, в 60-х долях окружности.

Пусть одно из требуемых положений стрелок наблюдалось тогда, когда часовая стрелка отошла от цифры 12 на x делений, а минутная — на y делений. Так как часовая стрелка проходит 60 делений за 12 часов, т.е. 5 делений в час, то x делений она прошла за $\dfrac{x}{5}$ часов. Иначе говоря, после того как часы показывали 12, прошло $\dfrac{x}{5}$ часов. Минутная стрелка прошла y делений за y минут, т.е. за $\dfrac{y}{60}$ часов. Иначе говоря, цифру 12 минутная стрелка прошла $\dfrac{y}{60}$ часов тому назад, или через

$$\frac{x}{5}-\frac{y}{60}$$

часов после того, как обе стрелки были на двенадцати. Это число является целым (от нуля до 11), так как оно показывает, сколько полных часов прошло после двенадцати.

Когда стрелки обменяются местами, мы найдем аналогично, что с двенадцати часов до времени, показываемого стрелками, прошло

$$\frac{y}{5} - \frac{x}{60}$$

полных часов. Это число также является целым (от нуля до 11).

Имеем систему уравнений

$$\begin{cases} \dfrac{x}{5} - \dfrac{y}{60} = m, \\ \dfrac{y}{5} - \dfrac{x}{60} = n, \end{cases}$$

где m и n — целые числа, которые могут меняться от 0 до 11. Из этой системы находим:

$$x = \frac{60(12m+n)}{143},$$
$$y = \frac{60(12n+m)}{143}.$$

Давая m и n значения от 0 до 11, мы определим все требуемые положения стрелок. Так как каждое из 12 значений m можно сопоставлять с каждым из 12 значений n, то, казалось бы, число всех решений равно 12 · 12 = 144. Но в действительности оно равно

143, потому что при $m = 0$, $n = 0$ и при $m = 11$, $n = 11$ получается одно и то же положение стрелок.

При $m = 11$, $n = 11$ имеем:

$$x = 60, \quad y = 60,$$

т.е. часы показывают 12, как и в случае $m = 0$, $n = 0$.

Всех возможных положений мы рассматривать не станем; возьмем лишь два примера. Первый пример:

$$m = 1, n = 1;$$

$$x = \frac{60 \cdot 13}{143} = 5\frac{5}{11}, y = 5\frac{5}{11},$$

т.е. часы показывают 1 ч $5\frac{5}{11}$ мин; в этот момент стрелки совмещаются; их, конечно, можно обменять местами (как и при всех других совмещениях стрелок).

Второй пример:

$$m = 8, n = 5;$$

$$x = \frac{60(5 + 12 \cdot 8)}{143} \approx 42,38, \quad y = \frac{60(8 + 12 \cdot 5)}{143} \approx 28,53.$$

Соответствующие моменты: 8 ч 28,53 мин и 5 ч 42,38 мин.

Число решений мы знаем: 143. Чтобы найти все точки циферблата, которые дают требуемые положения стрелок, надо окружность циферблата разделить на 143 равные части: получим 143 точки, являющиеся искомыми. В промежуточных точках требуемые положения стрелок невозможны.

Совпадение часовых стрелок

ЗАДАЧА

Сколько есть положений на правильно идущих часах, когда часовая и минутная стрелки совмещаются?

РЕШЕНИЕ

Мы можем воспользоваться уравнениями, выведенными при решении предыдущей задачи: ведь если часовая и минутная стрелки совместились, то их можно обменять местами — от этого ничего не изменится. При этом обе стрелки прошли одинаковое число делений от цифры 12, т.е. $x = y$. Таким образом, из рассуждений, относящихся к предыдущей задаче, мы выводим уравнение

$$\frac{x}{5} - \frac{x}{60} = m,$$

где m — целое число от 0 до 11. Из этого уравнения находим:

$$x = \frac{60m}{11}.$$

Из двенадцати возможных значений для m (от нуля до 11) мы получаем не 12, а только 11 различных положений стрелок, так как при $m = 11$ мы находим $x = 60$, т.е. обе стрелки прошли 60 делений и находятся на цифре 12; это же получается при $m = 0$.

Искусство отгадывать числа

Каждый из вас, несомненно, встречался с «фокусами» по отгадыванию чисел. Фокусник обычно предлагает выполнить действия следующего характера: задумай число, прибавь 2, умножь на 3, отними 5, отними задуманное число и т.д. — всего пяток, а то и десяток действий. Затем фокусник спрашивает, что у вас получилось в результате, и, получив ответ, мгновенно сообщает задуманное вами число.

Секрет «фокуса», разумеется, очень прост, и в основе его лежат все те же уравнения.

Пусть, например, фокусник предложил вам выполнить программу действий, указанную в левой колонке следующей таблицы:

Задумай число,	x
прибавь 2,	$x + 2$
умножь результат на 3,	$3x + 6$
отними 5,	$3x + 1$
отними задуманное число,	$2x + 1$
умножь на 2,	$4x + 2$
отними 1	$4x + 1$

Затем фокусник просит вас сообщить окончательный результат и, получив его, моментально называет задуманное число. Как он это делает?

Чтобы понять это, достаточно обратиться к правой колонке таблицы, где указания фокусника переведены на язык алгебры. Из этой колонки видно, что если вы задумали какое-то число x, то после всех действий у вас должно получиться $4x + 1$. Зная это, нетрудно «отгадать» задуманное число.

Пусть, например, вы сообщили фокуснику, что получилось 33. Тогда фокусник быстро решает в уме уравнение $4x + 1 = 33$ и находит: $x = 8$. Иными словами, от окончательного результата надо отнять единицу ($33 - 1 = 32$) и затем полученное число разделить на 4 ($32 : 4 = 8$); это и дает задуманное число (8). Если же у вас получилось 25, то фокусник в уме проделывает действия $25 - 1 = 24$, $24 : 4 = 6$ и сообщает вам, что вы задумали 6.

Как видите, все очень просто: фокусник заранее знает, что надо сделать с результатом, чтобы получить задуманное число.

Поняв это, вы можете еще более удивить и озадачить ваших приятелей, предложив им *самим*, по своему усмотрению, выбрать характер действий над задуманным числом. Вы предлагаете приятелю задумать число и производить в любом порядке действия следующего характера: прибавлять или отнимать известное число (скажем: прибавить 2, отнять 5 и т.д.), умножать[1] на известное число (на 2, на 3 и т.п.), прибавлять или отнимать задуманное число. Ваш приятель нагромождает, чтобы запутать вас, ряд действий. Например, он задумывает число 5 (этого он вам не сообщает) и, выполняя действия, говорит:

---

[1] Делить лучше не разрешайте, так как это очень усложнит «фокус».

— Я задумал число, умножил его на 2, прибавил к результату 3, затем прибавил задуманное число; теперь я прибавил 1, умножил на 2, отнял задуманное число, отнял 3, еще отнял задуманное число, отнял 2. Наконец, я умножил результат на 2 и прибавил 3.

Решив, что уже совершенно вас запутал, он с торжествующим видом сообщает вам:

— Получилось 49.

К его изумлению вы немедленно сообщаете ему, что он задумал число 5.

Как вы это делаете? Теперь это уже достаточно ясно. Когда ваш приятель сообщает вам о действиях, которые он выполняет над задуманным числом, вы одновременно действуете в уме с неизвестным x. Он вам говорит: «Я задумал число...», а вы про себя твердите: «значит, у нас есть x». Он говорит: «...умножил его на 2...» (и он в самом деле производит умножение чисел), а вы про себя продолжаете: «теперь $2x$». Он говорит: «...прибавил к результату 3...», и вы немедленно следите: $2x + 3$, и т.д. Когда он «запутал» вас окончательно и выполнил все те действия, которые перечислены выше, у вас получилось то, что указано в следующей таблице (левая колонка содержит то, что вслух говорит ваш приятель, а правая — те действия, которые вы выполняете в уме):

Я задумал число,	x
умножил его на 2,	$2x$
прибавил к результату 3,	$2x + 3$

затем прибавил задуманное число,	$3x + 3$
теперь я прибавил 1,	$3x + 4$
умножил на 2,	$6x + 8$
отнял задуманное число,	$5x + 8$
отнял 3,	$5x + 5$
еще отнял задуманное число,	$4x + 5$
отнял 2,	$4x + 3$
наконец, я умножил результат на 2	$8x + 6$
и прибавил 3	$8x + 9$

В конце концов вы про себя подумали: окончательный результат $8x + 9$. Теперь он говорит: «У меня получилось 49». А у вас готово уравнение: $8x + 9 = 49$. Решить его — пара пустяков, и вы немедленно сообщаете ему, что он задумал число 5.

Фокус этот особенно эффектен потому, что не вы предлагаете те операции, которые надо произвести над задуманным числом, а сам товарищ ваш «изобретает» их.

Есть, правда, один случай, когда фокус не удается. Если, например, после ряда операций вы (считая про себя) получили $x + 14$, а затем ваш товарищ говорит: «...теперь я отнял задуманное число; у меня получилось 14», то вы следите за ним: $(x + 14) - x = 14$ — в самом деле получилось 14, но никакого уравнения нет и отгадать задуманное число вы не в состоянии. Что же в таком случае делать? Поступайте так: как только у вас получается результат, не содержащий неизвестного x, вы прерываете товарища словами: «Стоп! Теперь я могу, ничего не спрашивая, сказать, сколько у тебя получилось: у тебя 14». Это уже совсем озадачит вашего приятеля — ведь он совсем ничего вам не говорил! И, хотя вы так и не узнали задуманное число, фокус получился на славу!

Вот пример (по-прежнему в левой колонке стоит то, что говорит ваш приятель):

Я задумал число,	x
прибавил к нему 2	$x + 2$
и результат умножил на 2,	$2x + 4$
теперь я прибавил 3,	$2x + 7$
отнял задуманное число,	$x + 7$
прибавил 5,	$x + 12$
затем я отнял задуманное число...	12

В тот момент, когда у вас получилось число 12, т.е. выражение, не содержащее больше неизвестного x, вы и прерываете товарища, сообщив ему, что теперь у него получилось 12.

Немного поупражнявшись, вы легко сможете показывать своим приятелям такие «фокусы».

Мнимая нелепость

ЗАДАЧА

Вот задача, которая может показаться совершенно абсурдной:

Чему равно 84, если $8 \cdot 8 = 54$?

Этот странный вопрос далеко не лишен смысла, и задача может быть решена с помощью уравнений.

Попробуйте расшифровать ее.

69

РЕШЕНИЕ

Вы догадались, вероятно, что числа, входящие в задачу, написаны не по десятичной системе, — иначе вопрос «чему равно 84» был бы нелепым. Пусть основание неизвестной системы счисления есть x. Число «84» означает тогда 8 единиц второго разряда и 4 единицы первого, т.е.

$$«84» = 8x + 4.$$

Число «54» означает $5x + 4$.

Имеем уравнение $8 \cdot 8 = 5x + 4$, т.е. в десятичной системе $64 = 5x + 4$, откуда $x = 12$.

Числа написаны по двенадцатеричной системе, и «84» $= 8 \cdot 12 + 4 = 100$. Значит, если $8 \cdot 8 = $«54», то «84» $= 100$.

Подобным же образом решается и другая задача в этом роде:

Чему равно 100, когда $5 \cdot 6 = 33$?

Ответ: 81 (девятеричная система счисления).

Уравнение думает за нас

Если вы сомневаетесь в том, что уравнение бывает иной раз предусмотрительнее нас самих, решите следующую задачу.

Отцу 32 года, сыну 5 лет. Через сколько лет отец будет в 10 раз старше сына?

Обозначим искомый срок через x. Спустя x лет отцу будет $32 + x$ лет, сыну $5 + x$. И так как отец должен тогда быть в 10 раз старше сына, то имеем уравнение

$$32 + x = 10\,(5 + x).$$

Решив его, получаем $x = -2$.

«Через минус 2 года» означает «два года назад». Когда мы составляли уравнение, мы не подумали о том, что возраст отца никогда *в будущем* не окажется в 10 раз превосходящим возраст сына — такое соотношение могло быть только *в прошлом*. Уравнение оказалось вдумчивее нас и напомнило о сделанном упущении.

Курьезы и неожиданности

При решении уравнений мы наталкиваемся иногда на ответы, которые могут поставить в тупик малоопытного математика. Приведем несколько примеров.

I. Найти двузначное число, обладающее следующими свойствами. Цифра десятков на 4 меньше цифры единиц. Если из числа, записанного теми же цифрами, но в обратном порядке, вычесть искомое число, то получится 27.

Обозначив цифру десятков через x, а цифру единиц — через y, мы легко составим систему уравнений для этой задачи:

$$\begin{cases} x = y - 4, \\ (10y + x) - (10x + y) = 27. \end{cases}$$

Подставив во второе уравнение значение x из первого, найдем:

$$10y + y - 4 - \left[10(y - 4) + y\right] = 27,$$

а после преобразований:

$$36 = 27.$$

У нас не определились значения неизвестных, зато мы узнали, что $36 = 27$... Что это значит?

Это означает лишь, что двузначного числа, удовлетворяющего поставленным условиям, не существует и что составленные уравнения противоречат одно другому.

В самом деле: умножив обе части первого уравнения на 9, мы найдем из него:

$$9y - 9x = 36,$$

а из второго (после раскрытия скобок и приведения подобных членов):

$$9y - 9x = 27.$$

Одна и та же величина $9y - 9x$ согласно первому уравнению равна 36, а согласно второму 27. Это безусловно невозможно, так как $36 \neq 27$.

Подобное же недоразумение ожидает решающего следующую систему уравнений:

$$\begin{cases} x^2 y^2 = 8, \\ xy = 4. \end{cases}$$

Разделив первое уравнение на второе, получаем:

$$xy = 2,$$

а сопоставляя полученное уравнение со вторым, видим, что

$$\begin{cases} xy = 4, \\ xy = 2, \end{cases}$$

т.е. 4 = 2. Чисел, удовлетворяющих этой системе, не существует. (Системы уравнений, которые, подобно сейчас рассмотренным, не имеют решений, называются несовместными.)

II. С иного рода неожиданностью встретимся мы, если несколько изменим условие предыдущей задачи. Именно будем считать, что цифра десятков не на 4, а на 3 меньше, чем цифра единиц, а в остальном оставим условие задачи тем же. Что это за число?

Составляем уравнение. Если цифру десятков обозначим через x, то число единиц выразится через $x + 3$. Переводя задачу на язык алгебры, получим:

$$10(x+3) + x - [10x + (x+3)] = 27.$$

Сделав упрощения, приходим к равенству 27 = 27.

Это равенство неоспоримо верно, но оно ничего не говорит нам о значении x. Значит ли это, что чисел, удовлетворяющих требованию задачи, не существует?

Напротив, это означает, что составленное нами уравнение есть тождество, т.е. что оно верно при любом значении неизвестного x. Действительно, легко убедиться в том, что указанным в задаче свойством обладает каждое двузначное число, у которого цифра единиц на 3 больше цифры десятков:

$$14 + 27 = 41, \quad 47 + 27 = 74,$$
$$25 + 27 = 52, \quad 58 + 27 = 85,$$
$$36 + 27 = 63, \quad 69 + 27 = 96.$$

III. Найти трехзначное число, обладающее следующими свойствами:

1) цифра десятков 7;

2) цифра сотен на 4 меньше цифры единиц;

3) если цифры этого числа разместить в обратном порядке, то новое число будет на 396 больше искомого.

Составим уравнение, обозначив цифру единиц через x:

$$100x + 70 + x - 4 - [100(x-4) + 70 + x] = 396.$$

Уравнение это после упрощений приводит к равенству

$$396 = 396.$$

Читатели уже знают, как надо толковать подобный результат. Он означает, что каждое трехзначное число, в котором первая цифра на 4 меньше третьей[1], увеличивается на 396, если цифры поставить в обратном порядке.

До сих пор мы рассматривали задачи, имеющие более или менее искусственный, книжный характер; их назначение — помочь приобрести навык в составлении и решении уравнений. Теперь, вооруженные теоретически, займемся несколькими примерами задач практических — из области производства, обихода, военного дела, спорта.

_____

[1] Цифра десятков роли не играла.

В парикмахерской

ЗАДАЧА

Может ли алгебра понадобиться в парикмахерской? Оказывается, что такие случаи бывают. Мне пришлось убедиться в этом, когда однажды в парикмахерской подошел ко мне мастер с неожиданной просьбой:

— Не поможете ли нам разрешить задачу, с которой мы никак не справимся?

— Уж сколько раствора испортили из-за этого! — добавил другой.

— В чем задача? — осведомился я.

— У нас имеется два раствора перекиси водорода: 30-процентный и 3-процентный. Нужно их смешать так, чтобы составился 12-процентный раствор. Не можем подыскать правильной пропорции...

Мне дали бумажку, и требуемая пропорция была найдена.

Она оказалась очень простой. Какой именно?

РЕШЕНИЕ

Задачу можно решить и арифметически, но язык алгебры приводит здесь к цели проще и быстрее. Пусть для составления 12-процентной смеси требуется взять x граммов 3-процентного раствора и y граммов 30-процентного. Тогда в первой порции содержится $0,03x$ граммов чистой перекиси водорода, во второй $0,3y$, а всего

75

$$0{,}03x + 0{,}3y.$$

В результате получается $(x + y)$ граммов раствора, в котором чистой перекиси должно быть $0{,}12\,(x + y)$. Имеем уравнение

$$0{,}03x + 0{,}3y = 0{,}12(x + y).$$

Из этого уравнения находим $x = 2y$, т.е. 3-процентного раствора надо взять вдвое больше, чем 30-процентного.

Трамвай и пешеход

ЗАДАЧА

Идя вдоль трамвайного пути, я заметил, что каждые 12 минут меня нагоняет трамвай, а каждые 4 минуты я сам встречаю трамвай. И я и трамваи движемся равномерно.

Через сколько минут один после другого покидают трамвайные вагоны свои конечные пункты?

РЕШЕНИЕ

Если вагоны покидают свои конечные пункты каждые x минут, то это означает, что в то место, где я встретился с одним из трамваев, через x минут приходит следующий трамвай. Если он догоняет меня, то в оставшиеся $12 - x$ минут он должен пройти тот путь, который я успеваю пройти в 12 минут. Значит, тот путь, который я прохожу в 1 минуту, трамвай проходит в $\dfrac{12 - x}{12}$ минут.

Если же трамвай идет мне навстречу, то он встретит меня через 4 минуты после предыдущего, а в оставшиеся ($x - 4$) минуты он пройдет тот путь, который я успел пройти в эти 4 минуты. Следовательно, тот путь, который я прохожу в 1 минуту, трамвай проходит в $\dfrac{x-4}{4}$ минуты. Получаем уравнение

$$\frac{12-x}{12} = \frac{x-4}{4}.$$

Отсюда $x = 6$. Вагоны отходят каждые 6 минут. Можно также предложить следующее (по сути дела арифметическое) решение задачи. Обозначим расстояние между двумя следующими один за другим трамваями через a. Тогда между мной и трамваем, двигающимся навстречу, расстояние уменьшается на $\dfrac{a}{4}$ в минуту (так как расстояние между только что прошедшим трамваем и следующим, равное a, мы вместе проходим за 4 минуты). Если же трамвай догоняет меня, то расстояние между нами ежеминутно уменьшается на $\dfrac{a}{12}$. Предположим теперь, что я в течение минуты шел вперед, а затем повернул назад и минуту шел обратно (т.е. вернулся на прежнее место). Тогда между мной и трамваем, двигавшимся вначале мне навстречу, за первую минуту расстояние уменьшилось на $\dfrac{a}{4}$, а за вторую минуту (когда этот трамвай уже догонял меня) на $\dfrac{a}{12}$. Итого за 2 минуты расстоя-

ние между нами уменьшилось на $\dfrac{a}{4} + \dfrac{a}{12} = \dfrac{a}{3}$. То же

было бы, если бы я стоял все время на месте, так как в итоге я все равно вернулся назад. Итак, если бы я не двигался, то за минуту (а не за две) трамвай прибли-

зился бы ко мне на $\dfrac{a}{3} : 2 = \dfrac{a}{6}$, а все расстояние a он

проехал бы за 6 минут. Это означает, что мимо неподвижно стоящего наблюдателя трамваи проходят с интервалом в 6 минут.

Пароход и плоты

ЗАДАЧА

Из города A в город B, расположенный ниже по течению реки, пароход шел (без остановок) 5 часов. Обратно, против течения, он шел (двигаясь с той же собственной скоростью и также не останавливаясь) 7 часов. Сколько часов идут из A в B плоты (плоты движутся со скоростью течения реки)?

РЕШЕНИЕ

Обозначим через x время (в часах), нужное пароходу для того, чтобы пройти расстояние от A до B в стоячей воде (т.е. при движении с собственной скоростью), а через y — время движения плотов. Тогда за час пароход проходит расстояния AB, а плоты (течение) — $\dfrac{1}{y}$ этого расстояния. Поэтому вниз по реке пароход проходит за час $\dfrac{1}{x}+\dfrac{1}{y}$ расстояния AB, а вверх (против течения) — $\dfrac{1}{x}-\dfrac{1}{y}$. Мы же знаем из условия задачи, что вниз по реке пароход проходит за час $\dfrac{1}{5}$ расстояния, а вверх — $\dfrac{1}{7}$. Получаем систему

$$\begin{cases} \dfrac{1}{x}+\dfrac{1}{y}=\dfrac{1}{5}, \\[2mm] \dfrac{1}{x}-\dfrac{1}{y}=\dfrac{1}{7}. \end{cases}$$

Заметим, что для решения этой системы не следует освобождаться от знаменателей: нужно просто вычесть из первого уравнения второе. В результате мы получим:

$$\frac{2}{y}=\frac{2}{35},$$

откуда $y = 35$. Плоты идут из A в B 35 часов.

Две жестянки кофе

ЗАДАЧА

Две жестянки, наполненные кофе, имеют одинаковую форму и сделаны из одинаковой жести. Первая весит 2 кг и имеет в высоту 12 см; вторая весит 1 кг и имеет в высоту 9,5 см. Каков чистый вес кофе в жестянках?

РЕШЕНИЕ

Обозначим вес содержимого большей жестянки через x, меньшей — через y. Вес самих жестянок обозначим соответственно через z и t. Имеем уравнения

$$\begin{cases} x + z = 2, \\ y + t = 1. \end{cases}$$

Так как веса содержимого полных жестянок относятся, как их объемы, т.е. как кубы их высот[1], то

$$\frac{x}{y} = \frac{12^3}{9,5^3} \approx 2,02 \quad \text{или} \quad x = 2,02y.$$

Веса же пустых жестянок относятся, как их полные поверхности, т.е. как квадраты их высот. Поэтому

$$\frac{z}{t} = \frac{12^2}{9,5^2} \approx 1,60 \quad \text{или} \quad z = 1,6t.$$

Подставив значения x и z в первое уравнение, получаем систему

$$\begin{cases} 2,02y + 1,60t = 2, \\ y + t = 1. \end{cases}$$

---

[1] Пропорцией этой позволительно пользоваться лишь в том случае, когда стенки жестянок не слишком толсты (так как наружная и внутренняя поверхности жестянок, строго говоря, не подобны и, кроме того, высота внутренней полости банки, строго говоря, отличается от высоты самой банки).

Решив ее, узнаем:

$$y = \frac{20}{21} = 0{,}95, \ t = 0{,}05.$$

И следовательно,

$$x = 1{,}92, \ z = 0{,}08.$$

Вес кофе без упаковки: в большей жестянке — 1,92 кг, в меньшей — 0,94 кг.

Вечеринка

ЗАДАЧА

На вечеринке было 20 танцующих. Мария танцевала с семью танцорами, Ольга — с восемью, Вера — с девятью и так далее до Нины, которая танцевала со всеми танцорами. Сколько танцоров (мужчин) было на вечеринке?

РЕШЕНИЕ

Задача решается очень просто, если удачно выбрать неизвестное. Будем искать число не танцоров, а танцорок, которое обозначим через x:

1-я, Мария,	танцевала	с 6 + 1 танцорами		
2-я, Ольга,	»	с 6 + 2	»	
3-я, Вера,	»	с 6 + 3	»	
. . . .				
x-я, Нина,	»	с 6 + x	»	

Имеем уравнение

$$x + (6 + x) = 20,$$

откуда

$$x = 7,$$

а следовательно, число танцоров —

$$20 - 7 = 13.$$

Морская разведка

ЗАДАЧА 1

Разведчику (разведывательному кораблю), двигавшемуся в составе эскадры, дано задание обследовать район моря на 70 миль в направлении движения эскадры. Скорость эскадры — 35 миль в час, скорость разведчика — 70 миль в час. Требуется определить, через сколько времени разведчик возвратится к эскадре.

РЕШЕНИЕ

Обозначим искомое число часов через x. За это время эскадра успела пройти $35x$ миль, разведывательный же корабль — $70x$. Разведчик прошел вперед 70 миль и часть этого пути обратно, эскадра же прошла остальную часть того же пути. Вместе они прошли путь в $70x + 35x$, равный $2 \cdot 70$ миль. Имеем уравнение

$$70x + 35x = 140,$$

откуда

$$x = \frac{140}{105} = 1\frac{1}{3}$$

часов. Разведчик возвратится к эскадре через 1 час 20 минут.

Рис. 10

ЗАДАЧА 2

Разведчик получил приказ произвести разведку впереди эскадры по направлению ее движения. Через 3 часа судно это должно вернуться к эскадре. Спустя сколько времени после оставления эскадры разведывательное судно должно повернуть назад, если скорость его 60 узлов, а скорость эскадры 40 узлов?

РЕШЕНИЕ

Пусть разведчик должен повернуть спустя x часов; значит, он удалялся от эскадры x часов, а шел навстречу ей $3 - x$ часов. Пока все корабли шли в одном направлении, разведчик успел за x часов удалиться от эскадры на разность пройденных ими путей, т.е. на

$$60x - 40x = 20x.$$

При возвращении разведчика он прошел путь навстречу эскадре $60 \cdot (3 - x)$, сама же эскадра прошла $40 \cdot (3 - x)$. Тот и другой прошли вместе $10x$. Следовательно,

$$60 \cdot (3 - x) + 40 \cdot (3 - x) = 20x.$$

Откуда

$$x = 2\frac{1}{2}.$$

Разведчик должен изменить курс на обратный спустя 2 часа 30 мин. после того, как он покинул эскадру.

На велодроме

ЗАДАЧА

По круговой дороге велодрома едут два велосипедиста с неизменными скоростями. Когда они едут в противоположных направлениях, то встречаются каждые 10 секунд; когда же едут в одном направлении, то один настигает другого каждые 170 секунд. Какова скорость каждого велосипедиста, если длина круговой дороги 170 м?

РЕШЕНИЕ

Если скорость первого велосипедиста x, то в 10 секунд он проезжает $10x$ метров. Второй же, двигаясь ему навстречу, проезжает от встречи до встречи остальную часть круга, т.е. $170 - 10x$ метров. Если скорость второго y, то это составляет $10y$ метров; итак,

$$170 - 10x = 10y.$$

Если же велосипедисты едут один вслед другому, то в 170 секунд первый проезжает $170x$ метров, а второй $170y$ метров. Если первый едет быстрее второго, то от одной встречи до другой он проезжает на один круг больше второго, т.е.

$$170x - 170y = 170.$$

После упрощения этих уравнений получаем:

$$x + y = 17, \quad x - y = 1,$$

откуда

$$x = 9, y = 8 \text{ (метров в секунду)}.$$

Состязание мотоциклов

ЗАДАЧА

При мотоциклетных состязаниях одна из трех стартовавших одновременно машин, делавшая в час на 15 км меньше первой и на 3 км больше третьей, пришла к конечному пункту на 12 минут позже первой и на 3 минуты раньше третьей. Остановок в пути не было.

Требуется определить:

а) как велик участок пути?

б) как велика скорость каждой машины?

в) какова продолжительность пробега каждой машины?

РЕШЕНИЕ

Хотя требуется определить семь неизвестных величин, мы обойдемся при решении задачи только двумя: составим систему двух уравнений с двумя неизвестными.

Обозначим скорость второй машины через x, тогда скорость первой выразится через $x + 15$, а третьей — через $x - 3$.

Длину участка пути обозначим буквой y. Тогда продолжительность пробега обозначится:

для первой   машины   через $\dfrac{y}{x+15}$,

для второй   »   » $\dfrac{y}{x}$,

для третьей   »   » $\dfrac{y}{x-3}$.

Мы знаем, что вторая машина была в пути на 12 минут (т.е. на $\dfrac{1}{5}$ часа) дольше первой. Поэтому

$$\frac{y}{x} - \frac{y}{x+15} = \frac{1}{5}.$$

Третья машина была в пути на 3 минуты (т.е. на $\frac{1}{20}$ часа) больше второй. Следовательно,

$$\frac{y}{x-3} - \frac{y}{x} = \frac{1}{20}.$$

Второе из этих уравнений умножим на 4 и вычтем из первого:

$$\frac{y}{x} - \frac{y}{x+15} - 4\cdot\left(\frac{y}{x-3} - \frac{y}{x}\right) = 0.$$

Разделим все члены этого уравнения на y (эта величина, как мы знаем, не равна нулю) и после этого освободимся от знаменателей. Мы получим:

$$(x+15)(x-3) - x(x-3) - 4x(x+15) + 4\cdot(x+15)(x-3) = 0,$$

или после раскрытия скобок и приведения подобных членов:

$$3x - 225 = 0,$$

откуда

$$x = 75.$$

Зная x, находим y из первого уравнения:

$$\frac{y}{75} - \frac{y}{90} = \frac{1}{5},$$

откуда $y = 90$.

Итак, скорости машин определены:

$$90, \ 75 \ \text{и} \ 72 \ \text{километра в час}.$$

Длина всего пути = 90 км.

Разделив длину пути на скорость каждой машины, найдем продолжительность пробегов:

первой машины . . . . . 1 ч
второй машины . . . . . 1 ч 12 м,
третьей машины . . . . . 1 ч 15 м.

Таким образом, все семь неизвестных определены.

Средняя скорость езды

ЗАДАЧА

Автомобиль проехал расстояние между двумя городами со скоростью 60 километров в час и возвратился со скоростью 40 километров в час. Какова была средняя скорость его езды?

РЕШЕНИЕ

Обманчивая простота задачи вводит многих в заблуждение. Не вникнув в условия вопроса, вычисляют среднее арифметическое между 60 и 40, т.е. находят полусумму

$$\frac{60+40}{2} = 50.$$

Это «простое» решение было бы правильно, если бы поездка в одну сторону и в обратном направлении длилась одинаковое время. Но ясно, что обратная поездка (с меньшей скоростью) должна была отнять больше времени, чем езда туда. Учтя это, мы поймем, что ответ 50 — неверен.

И действительно, уравнение дает другой ответ. Составить уравнение нетрудно, если ввести вспомогательное неизвестное — именно величину l расстояния между городами. Обозначив искомую среднюю скорость через x, составляем уравнение

$$\frac{2l}{x} = \frac{l}{60} + \frac{l}{40}.$$

Так как l не равно нулю, можем уравнение разделить на l; получаем:

$$\frac{2}{x} = \frac{1}{60} + \frac{1}{40},$$

откуда

$$x = \frac{2}{\dfrac{1}{60} + \dfrac{1}{40}} = 48.$$

Итак, правильный ответ не 50 километров в час, а 48.

Если бы мы решали эту же задачу в буквенных обозначениях (туда автомобиль ехал со скоростью a километров в час, обратно — со скоростью b километров в час), то получили бы уравнение

$$\frac{2l}{x} = \frac{l}{a} + \frac{l}{b},$$

откуда для x получаем значение

$$\frac{2}{\frac{1}{a}+\frac{1}{b}}.$$

Эта величина называется *средним гармоническим* для величин *a* и *b*.

Итак, средняя скорость езды выражается не средним арифметическим, а средним гармоническим для скоростей движения. Для положительных *a* и *b* среднее гармоническое всегда меньше, чем их среднее арифметическое

$$\frac{a+b}{2},$$

что мы и видели на численном примере (48 меньше, чем 50).

Быстродействующие вычислительные машины

Беседа об уравнениях в плане «Занимательной алгебры» не может пройти мимо решения уравнений на вычислительных машинах. Мы уже говорили о том, что вычислительные машины могут «играть» в шахматы (или шашки). Математические машины могут выполнять и другие задания, например, перевод с одного языка на другой, оркестровку музыкальной мелодии и т.д. Нужно только разработать соответствующую «программу», по которой машина будет действовать.

Конечно, мы не будем рассматривать здесь «программы» для игры в шахматы или для перевода с одного языка на другой: эти «программы» крайне сложны. Мы разберем лишь две очень простенькие «программы». Однако вначале нужно сказать несколько слов об устройстве вычислительной машины.

Выше (в главе первой) мы говорили об устройствах, которые позволяют производить многие тысячи вычислений в секунду. Эта часть вычислительной машины, служащая для непосредственного выполнения действий, называется *арифметическим устройством*. Кроме того, машина содержит *управляющее устройство* (регулирующее работу всей машины) и так называемую *память*. Память, или, иначе, запоминающее устройство, представляет собой хранилище для чисел и условных сигналов. Наконец, машина снабжена особыми устройствами для ввода новых цифровых данных и для выдачи готовых результатов. Эти готовые результаты машина печатает (уже в десятичной системе) на специальных карточках.

Всем хорошо известно, что звук можно записать на пластинку или на пленку и затем воспроизвести. Ізо запись звука на пластинку может быть произведена лишь один раз: для новой записи нужна уже новая пластинка. Несколько иначе осуществляется запись звука в магнитофоне: при помощи намагничивания особой ленты. Записанный звук можно воспроизвести нужное число раз, а если запись оказалась уже ненужной, ее можно «стереть» и произвести на той же ленте новую запись. На одной и той же ленте можно произвести одну за другой несколько записей, причем при каждой новой записи предыдущая «стирается».

На подобном же принципе основано действие запоминающих устройств. Числа и условные сигналы записываются (при помощи электрических, магнитных или механических сигналов) на специальном барабане, ленте или другом устройстве. В нужный момент записанное число может быть «прочтено», а если оно уже больше не нужно, то его можно стереть, а на его месте записать другое число. «Запоминание» и «чтение» числа или условного сигнала длятся всего лишь миллионные доли секунды.

«Память» может содержать несколько тысяч ячеек, каждая ячейка — несколько десятков элементов, например магнитных. Для записи чисел по двоичной системе счисления условимся считать, что каждый намагниченный элемент изображает цифру 1, а ненамагниченный — цифру 0. Пусть, например, каждая ячейка памяти содержит 25 элементов (или, как говорят, 25 «двоичных разрядов», причем первый элемент ячейки служит для обозначения знака числа (+ или –), следующие 14 разрядов служат для записи целой части числа, а последние 10 разрядов — для записи дробной части. На рис. 11 схематически изображены две ячейки памяти; в каждой по 25 разрядов. Намагниченные элементы обозначены знаком +, ненамагниченные обозначены знаком –. Рассмотрим верхнюю из изображенных ячеек (запятая показывает, где начинается дробная часть числа, а пунктирная линия отделяет первый разряд, служащий для записи знака, от остальных). В ней записано (в двоичной системе счисления) число +1011,01, или — в привычной для нас десятичной системе счисления — число 11,25.

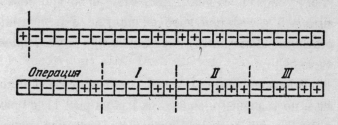

Рис. 11

Кроме чисел в ячейках памяти записываются *приказы*, из которых состоит программа. Рассмотрим, как выглядят приказы для так называемой *трехадресной* машины. В этом случае при записи приказа ячейка памяти разбивается на 4 части (пунктирные линии на нижней ячейке, рис. 11). Первая часть служит для обозначения операции, причем операции записываются числами (номерами).

Например,

   сложение — операция 1,
   вычитание — операция 2,
   умножение — операция 3 и т.д.

Приказы расшифровываются так: первая часть ячейки — номер операции, вторая и третья части — номера ячеек (*адресá*), из которых надо взять числа для выполнения этой операции, четвертая часть —

номер ячейки (*адрес*), куда следует отправить полученный результат. Например, на рис. 11 (нижняя строка) записаны в двоичной системе числа 11, 11, 111, 1011 или в десятичной системе: 3, 3, 7, 11, что означает следующий приказ: выполнить операцию 3 (т.е. умножение) над числами, находящимися в *третьей* и *седьмой* ячейках памяти, а полученный результат «запомнить» (т.е. записать) в *одиннадцатой* ячейке.

В дальнейшем мы будем записывать числа и приказы не условными значками, как на рис. 11, а прямо в десятичной системе счисления. Например, приказ, изображенный в нижней строке рис. 11, запишется так:

умножение 3   7   11

Рассмотрим теперь два простеньких примера программ.

Программа 1

1)	сложение	4	5	4
2)	умножение	4	4	→
3)	п. у.	1		
4)	0			
5)	1			

Посмотрим, как будет работать машина, у которой в первых пяти ячейках записаны эти данные.

1-й приказ: сложить числа, записанные в 4-й и 5-й ячейках, и отправить результат снова в 4-ю ячейку (вместо того, что там было записано ранее). Таким образом, машина запишет в 4-ю ячейку число $0 + 1 = 1$. После выполнения 1-го приказа в 4-й и 5-й ячейках будут следующие числа:

$$4)\ 1,$$
$$5)\ 1.$$

2-й приказ: умножить число, имеющееся в 4-й ячейке, на себя (т.е. возвести его в квадрат) и результат, т.е. 1^2, выписать на карточку (стрелка означает выдачу готового результата).

3-й приказ: передача управления в 1-ю ячейку. Иначе говоря, приказ п. у. означает, что надо снова по порядку выполнять все приказы, начиная с 1-го. Итак, снова 1-й приказ.

1-й приказ: сложить числа, имеющиеся в 4-й и 5-й ячейках, и результат снова записать в 4-й ячейке. В результате в 4-й ячейке будет число $1+1 = 2$:

$$4)\ 2,$$
$$5)\ 1.$$

2-й приказ: возвысить в квадрат число, стоящее в 4-й ячейке, и полученный результат, т.е. 2^2, выписать на карточку (стрелка — выдача результата).

3-й приказ: передача управления в первую ячейку (т.е. опять переход к 1-му приказу).

1-й приказ: число $2 + 1 = 3$ отправить в 4-ю ячейку:

4) 3,

5) 1.

2-й приказ: выписать на карточку число 3^2.

3-й приказ: передача управления в 1-ю ячейку и т.д.

Мы видим, что машина вычисляет один за другим *квадраты целых чисел* и выписывает их на карточку. Заметьте, что каждый раз набирать новое число вручную не надо: машина сама перебирает подряд целые числа и возводит их в квадрат. Действуя по этой программе, машина вычислит квадраты всех целых чисел, скажем, от 1 до 10 000 в течение нескольких секунд (или даже долей секунды).

Следует отметить, что в действительности программа для вычисления квадратов целых чисел должна быть несколько сложнее той, которая приведена выше. Это прежде всего относится ко 2-му приказу. Дело в том, что выписывание готового результата на карточку требует во много раз больше времени, чем выполнение машиной одной операции. Поэтому готовые результаты сначала «запоминаются» в свободных ячейках «памяти», а уже после этого («не спеша») выписываются на карточку. Таким образом, первый окончательный результат должен «запоминаться» в 1-й свободной ячейке «памяти», второй результат — во 2-й свободной ячейке, третий — в 3-й и т.д. В приведенной выше упрощенной программе это никак не было учтено.

Кроме того, машина не может долго занимать вычислением квадратов — не хватит ячеек «памяти», — а «угадать», когда машина уже вычислила нужное нам число квадратов, чтобы в этот момент выключить ее, — невозможно (ведь машина производит многие тысячи операций в секунду!). Поэтому предусмотрены особые приказы для остановки машины в нужный момент. Например, программа может быть составлена таким образом, что машина вычислит квадраты всех целых чисел от 1 до 10 000 и после этого автоматически выключится.

Есть и другие более сложные виды приказов, на которых мы здесь для простоты не останавливаемся.

Вот как выглядит в действительности программа для вычисления квадратов всех целых чисел от 1 до 10 000:

Программа 1a

1) сложение   8   9   8
2) умножение 8   8 10
3) сложение   2   6   2
4) у. п. у.   8   7   1
5) стоп
6)   0   0   1
7) 10 000
8) 0
9) 1
10) 0
11) 0
12) 0

. . . .

Первые два приказа мало отличаются от тех, которые были в предыдущей упрощенной программе. После выполнения этих двух приказов в 8-й, 9-й и 10-й ячейках будут следующие числа:

$$8) \ 1$$
$$9) \ 1$$
$$10) \ 1^2.$$

Третий приказ очень интересен: надо сложить то, что стоит во 2-й и 6-й ячейках, и результаты снова записать во 2-й ячейке, после чего 2-я ячейка будет иметь вид

$$2) \text{ умножение} \quad 8 \quad 8 \quad 11.$$

Как видите, после выполнения третьего приказа *меняется второй приказ*, вернее, меняется один из адресов 2-го приказа. Ниже мы выясним, для чего это делается.

Четвертый приказ: условная передача управления (вместо 3-го приказа в рассмотренной ранее программе). Этот приказ выполняется так: если число, стоящее в 8-й ячейке, *меньше* числа, стоящего в 7-й ячейке, то передается управление в 1-ю ячейку; в противном случае выполняется следующий (т.е. 5-й) приказ. В нашем случае действительно 1 < 10 000, так что происходит передача управления в 1-ю ячейку. Итак, снова 1-й приказ.

После выполнения 1-го приказа в 8-й ячейке будет число 2.

Второй приказ, который теперь имеет вид

$$2) \text{ умножение } \quad 8 \quad 8 \quad 11,$$

заключается в том, что число 2^2 направляется в 11-ю ячейку. Теперь ясно, зачем был выполнен ранее 3-й приказ: новое число, т.е. 2^2, должно попасть не в 10-ю ячейку, которая уже занята, а в следующую. После выполнения 1-го и 2-го приказов у нас будут следующие числа:

$$8) \quad 2$$
$$9) \quad 1$$
$$10) \quad 1^2$$
$$11) \quad 2^2$$

После выполнения 3-го приказа 2-я ячейка примет вид

$$2) \text{ умножение } \quad 8 \quad 8 \quad 12,$$

т.е. машина «подготовилась» к тому, чтобы записать новый результат в следующую, 12-ю, ячейку. Так как в 8-й ячейке все еще стоит меньшее число, чем в 9-й ячейке, то 4-й приказ означает снова передачу управления в 1-ю ячейку.

Теперь после выполнения 1-го и 2-го приказов получим:

$$8) \quad 3$$
$$9) \quad 1$$
$$10) \quad 1^2$$
$$11) \quad 2^2$$
$$12) \quad 3^2$$

До каких пор машина будет по этой программе вычислять квадраты? До тех пор, пока в 8-й ячейке не появится число 10 000, т.е. пока не будут вычислены квадраты чисел от 1 до 10 000. После этого 4-й приказ уже не передаст управления в 1-ю ячейку (так как в 8-й ячейке будет стоять число, не *меньшее*, а равное числу, стоящему в 7-й ячейке), т.е. после 4-го приказа машина выполнит 5-й приказ: остановится (выключится).

Рассмотрим теперь более сложный пример программы: решение систем уравнений. При этом мы рассмотрим упрощенную программу. При желании читатель сам подумает о том, как должна выглядеть такая программа в полном виде.

Пусть задана система уравнений

$$\begin{cases} ax + by = c, \\ dx + ey = f. \end{cases}$$

Эту систему нетрудно решить:

$$x = \frac{ce - bf}{ae - bd}, \quad y = \frac{af - cd}{ae - bd}.$$

Для решения такой системы (с заданными числовыми значениями коэффициентов a, b, c, d, e, f) вам потребуется, вероятно, несколько десятков секунд. Машина же может решить в секунду *тысячи* таких систем.

Рассмотрим соответствующую программу. Будем считать, что даны сразу несколько систем:

100

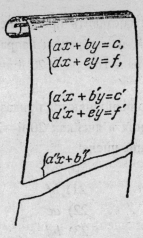

$$\begin{cases} ax + by = c, \\ dx + ey = f, \end{cases}$$

$$\begin{cases} a'x + b'y = c' \\ d'x + e'y = f' \end{cases}$$

$$\begin{cases} a''x + b'' \end{cases}$$

с числовыми значениями коэффициентов $a, b, c, d, e, f,$
$a', b', \ldots$

Вот соответствующая программа:

Программа 2

1) ×28 30 20	14) + 3 19 3	27) b
2) ×27 31 21	15) + 4 19 4	28) c
3) ×26 30 22	16) + 5 19 5	29) d
4) ×27 29 23	17) + 6 19 6	30) e
5) ×26 31 24	18) п. у. 1	31) f
6) ×28 29 25	19) 6 6 0	32) a'
7) –20 21 20	20) 0	33) b'
8) –22 23 21	21) 0	34) c'
9) –24 25 22	22) 0	35) d'
10) : 20 21 →	23) 0	36) e'
11) : 22 21 →	24) 0	37) f'
12) + 1 19 1	25) 0	38) a''
13) + 2 19 2	26) a	. . . . . .

1-й приказ: составить произведение чисел, стоящих в 28-й и 30-й ячейках, и направить результат в 20-ю ячейку. Иначе говоря, в 20-й ячейке будет записано число *ce*.

Аналогично выполняются приказы 2-й—6-й. После их выполнения в ячейках 20-й—25-й будут находиться следующие числа:

20) *ce*

21) *bf*

22) *ae*

23) *bd*

24) *af*

25) *cd*

7-й приказ: из числа, стоящего в 20-й ячейке, вычесть число, стоящее в 21-й ячейке, и результат (т.е. *ce − bf*) снова записать в 20-ю ячейку.

Аналогично выполняются приказы 8-й и 9-й. В результате в ячейках 20-й, 21-й, 22-й окажутся следующие числа:

20) *ce − bf*

21) *ae − bd*

22) *af − cd*

10-й и 11-й приказы: составляются частные

$$\frac{ce-bf}{ae-bd} \quad \text{и} \quad \frac{af-cd}{ae-bd}$$

и выписываются на карточку (т.е. выдаются как готовые результаты). Это и есть значения неизвестных, получаемых из первой системы уравнений.

Итак, первая система решена. Зачем же дальнейшие приказы? Дальнейшая часть программы (ячейки 12-я—19-я) предназначена для того, чтобы заставить машину «подготовиться» к решению второй системы уравнений. Посмотрим, как это происходит. Приказы с 10-го по 17-й заключаются в том, что к содержимому ячеек 1-й—6-й прибавляется запись, имеющаяся в 19-й ячейке, а результаты снова остаются в ячейках 1-й—6-й. Таким образом, после выполнения 17-го приказа первые шесть ячеек будут иметь следующий вид:

1) × 34 36 20
2) × 33 37 21
3) × 32 36 22
4) × 33 35 23
5) × 32 37 24
6) × 34 35 25

18-й приказ: передача управления в первую ячейку.

Чем же отличаются новые записи в первых шести ячейках от прежних записей? Тем, что первые два адреса в этих ячейках имеют номера не от 26 до 31, как прежде, а номера от 32 до 37. Иначе говоря, машина снова будет производить те же действия, но числа будет брать не из ячеек 26-й—31-й, а из ячеек 32-й—37-й, где стоят коэффициенты второй системы уравнений. В результате машина решит вторую систему уравнений. После решения второй системы машина перейдет к третьей и т.д.

Из сказанного становится ясным, как важно уметь составить правильную «программу». Ведь машина «сама» ничего делать не «умеет». Она может лишь выполнять заданную ей программу. Имеются программы для вычисления корней, логарифмов, синусов, для решения уравнений высших степеней и т.д. Мы уже говорили выше о том, что существуют программы для игры в шахматы, для перевода с иностранного языка... Конечно, чем сложнее задание, тем сложнее соответствующая программа.

Заметим в заключение, что существуют так называемые *программирующие программы*, т.е. такие, с помощью которых сама машина может составить требуемую для решения задачи программу. Это значительно облегчает составление программы, которое часто бывает очень трудоемким.

ГЛАВА ТРЕТЬЯ

В ПОМОЩЬ АРИФМЕТИКЕ

Арифметика зачастую не в силах собственными средствами строго доказать правильность некоторых из ее утверждений. Ей приходится в таких случаях прибегать к обобщающим приемам алгебры. К подобным арифметическим положениям, обосновываемым алгебраически, принадлежат, например, многие правила сокращенного выполнения действий, любопытные особенности некоторых чисел, признаки делимости и др. Рассмотрению вопросов этого рода и посвящается настоящая глава.

Мгновенное умножение

Вычислители-виртуозы во многих случаях облегчают себе вычислительную работу, прибегая к несложным алгебраическим преобразованиям. Например, вычисление 988^2 выполняется так:

$$988 \cdot 988 = (988 + 12) \cdot (988 - 12) + 12^2 =$$
$$= 1000 \cdot 976 + 144 = 976\,144.$$

Легко сообразить, что вычислитель в этом случае пользуется следующим алгебраическим преобразованием:

$$a^2 = a^2 - b^2 + b^2 = (a+b)(a-b) + b^2.$$

На практике мы можем с успехом пользоваться этой формулой для устных выкладок.

Например:

$$27^2 = (27 + 3) \cdot (27 - 3) + 3^2 = 729,$$
$$63^2 = 66 \cdot 60 + 3^2 = 3969,$$
$$18^2 = 20 \cdot 16 + 2^2 = 324,$$
$$37^2 = 40 \cdot 34 + 3^2 = 1369,$$
$$48^2 = 50 \cdot 46 + 2^2 = 2304,$$
$$54^2 = 58 \cdot 50 + 4^2 = 2916.$$

Далее, умножение $986 \cdot 997$ выполняется так:

$$986 \cdot 997 = (986 - 3) \cdot 1000 + 3 \cdot 14 = 983\,042.$$

На чём основан этот прием? Представим множители в виде

$$(1000 - 14) \cdot (1000 - 3)$$

и перемножим эти двучлены по правилам алгебры:

$$1000 \cdot 1000 - 1000 \cdot 14 - 1000 \cdot 3 + 14 \cdot 3.$$

Делаем преобразования:

$$1000 \cdot (1000 - 14) - 1000 \cdot 3 + 14 \cdot 3 =$$
$$= 1000 \cdot 986 - 1000 \cdot 3 + 14 \cdot 3 =$$
$$= 1000 \cdot (986 - 3) + 14 \cdot 3.$$

Последняя строка и изображает прием вычислителя.

Интересен способ перемножения двух трехзначных чисел, у которых число десятков одинаково, а цифры единиц составляют в сумме 10. Например, умножение

$$783 \cdot 787$$

выполняется так:

$$78 \cdot 79 = 6162; \quad 3 \cdot 7 = 21;$$

результат:

$$616\,221.$$

Обоснование способа ясно из следующих преобразований:

$$(780 + 3) \cdot (780 + 7) =$$
$$= 780 \cdot 780 + 780 \cdot 3 + 780 \cdot 7 + 3 \cdot 7 =$$
$$= 780 \cdot 780 + 780 \cdot 10 + 3 \cdot 7 =$$
$$= 780 \cdot (780 + 10) + 3 \cdot 7 = 780 \cdot 790 + 21 =$$
$$= 616\,200 + 21.$$

Другой прием для выполнения подобных умножений еще проще:

$$783 \cdot 787 = (785 - 2) \cdot (785 + 2) = 785^2 - 4 =$$
$$= 616\,225 - 4 = 616\,221.$$

В этом примере нам приходилось возводить в квадрат число 785.

Для быстрого возведения в квадрат чисел, оканчивающихся на 5, очень удобен следующий способ:

$$35^2; \quad 3 \cdot 4 = 12. \quad \text{Отв. } 1225.$$
$$65^2; \quad 6 \cdot 7 = 42. \quad \text{Отв. } 4225.$$
$$75^2; \quad 7 \cdot 8 = 56. \quad \text{Отв. } 5625.$$

Правило состоит в том, что умножают число десятков на число, на единицу большее, и к произведению приписывают 25.

Прием основан на следующем. Если число десятков a, то все число можно изобразить так:

$$10a + 5.$$

Квадрат этого числа как квадрат двучлена равен

$$100a^2 + 100a + 25 = 100a \cdot (a + 1) + 25.$$

Выражение $a\,(a + 1)$ есть произведение числа десятков на ближайшее высшее число. Умножить число на 100 и прибавить 25 — все равно, что приписать к числу 25.

Из того же приема вытекает простой способ возводить в квадрат числа, состоящие из целого и $\frac{1}{2}$. Например:

$$\left(3\frac{1}{2}\right)^2 = 3{,}5^2 = 12{,}25 = 12\frac{1}{4},$$

$$\left(7\frac{1}{2}\right)^2 = 56\frac{1}{4}, \quad \left(8\frac{1}{2}\right)^2 = 72\frac{1}{4} \text{ и т.п.}$$

Цифры 1, 5 и 6

Вероятно, все заметили, что от перемножения ряда чисел, оканчивающихся единицей или пятеркой, получается число, оканчивающееся той же цифрой. Менее известно, что сказанное относится и к числу 6. Поэтому, между прочим, всякая степень числа, оканчивающегося шестеркой, также оканчивается шестеркой.

Например, $46^2 = 2116$; $46^3 = 97\,336$.

Эту любопытную особенность цифр 1, 5 и 6 можно обосновать алгебраическим путем. Рассмотрим ее для 6.

Числа, оканчивающиеся шестеркой, изображаются так:

$$10a + 6, \quad 10b + 6 \quad \text{и т.д.,}$$

где a и b — целые числа.

Произведение двух таких чисел равно

$$100ab + 60b + 60a + 36 =$$
$$= 10 \cdot (10ab + 6b + 6a) + 30 + 6 =$$
$$= 10\,(10ab + 6b + 6a + 3) + 6.$$

Как видим, произведение составляется из некоторого числа десятков и из цифры 6, которая, разумеется, должна оказаться на конце.

Тот же прием доказательства можно приложить к 1 и к 5.

Сказанное дает нам право утверждать, что, например,

386^{2567} оканчивается на 6,

815^{723} » » 5,

491^{1732} » » 1 и т.п.

Числа 25 и 78

Имеются и двузначные числа, обладающие тем же свойством, как и числа 1, 5 и 6. Это число 25 и — что, вероятно, для многих будет неожиданностью, — число 76. Всякие два числа, оканчивающиеся на 76, дают в произведении число, оканчивающееся на 76.

Докажем это. Общее выражение для подобных чисел таково:

$$100a + 76, \quad 100b + 76 \text{ и т.д.}$$

Перемножим два числа этого вида; получим:

$$10\,000ab + 7600b + 7600a + 5776 =$$
$$= 10\,000ab + 7600b + 7600a + 5700 + 76 =$$
$$= 100 \cdot (100ab + 76b + 76a + 57) + 76.$$

Положение доказано: произведение будет оканчиваться числом 76.

Отсюда следует, что всякая *степень* числа, оканчивающегося на 76, есть подобное же число:

$$376^2 = 141\,376, \quad 576^3 = 191\,102\,976 \text{ и т.п.}$$

Бесконечные «числа»

Существуют и более длинные группы цифр, которые, находясь на конце чисел, сохраняются и в их произведении. Число таких групп цифр, как мы покажем, бесконечно велико.

Мы знаем двузначные группы цифр, обладающие этим свойством: это 25 и 76. Для того чтобы найти трехзначные группы, нужно *приписать* к числу 25 или 76 спереди такую цифру, чтобы полученная трехзначная группа цифр тоже обладала требуемым свойством.

Какую же цифру следует приписать к числу 76? Обозначим ее через k. Тогда искомое трехзначное число изобразится:

$$100k + 76.$$

Общее выражение для чисел, оканчивающихся этой группой цифр, таково:

$$1000a + 100k + 76, \ 1000b + 100k + 76 \text{ и т.д.}$$

Перемножим два числа этого вида; получим:

$$1\,000\,000ab + 100\,000ak + 100\,000bk + 76\,000a + {}$$
$$+ 76\,000b + 10\,000k^2 + 15\,200k + 5776.$$

Все слагаемые, кроме двух последних, имеют на конце не менее трех нулей. Поэтому произведение оканчивается на $100k + 76$, если разность

$$15\,200k + 5776 - (100k + 76) = 15\,100k + 5700 = {}$$
$$= 15\,000k + 5000 + 100 \cdot (k + 7)$$

делится на 1000. Это, очевидно, будет только при $k = 3$.

Итак, искомая группа цифр имеет вид 376. Поэтому и всякая степень числа 376 оканчивается на 376. Например:

$$376^2 = 141\ 376.$$

Если мы теперь захотим найти четырехзначную группу цифр, обладающую тем же свойством, то должны будем приписать к 376 еще одну цифру спереди. Если эту цифру обозначим через l, то придем к задаче: при каком l произведение

$$(10\ 000a + 1000l + 376) \cdot (10\ 000b + 1000l + 376)$$

оканчивается на $1000l + 376$? Если в этом произведении раскрыть скобки и отбросить все слагаемые, которые оканчиваются на четыре нуля и более, то останутся члены

$$752\ 000l + 141\ 376.$$

Произведение оканчивается на $1000l + 376$, если разность

$$752\ 000l + 141\ 376 - (1000l + 376) =$$
$$= 751\ 000l + 141\ 000 =$$
$$= (750\ 000l + 140\ 000) + 1000 \cdot (l + 1)$$

делится на 10 000. Это, очевидно, будет только при $l = 9$.

Искомая четырехзначная группа цифр 9376. Полученную четырехзначную группу цифр можно дополнить еще одной цифрой, для чего нужно рассуждать точно так же, как и выше. Мы получим 09 376. Проделав еще один шаг, найдем группу цифр 109 376, затем 7 109 376 и т.д.

Такое приписывание цифр слева можно производить неограниченное число раз. В результате мы получим «число», у которого *бесконечно много* цифр:

$$...7\,109\,376.$$

Подобные «числа» можно складывать и умножать по обычным правилам: ведь они записываются *справа налево*, а сложение и умножение («столбиком») также производятся справа налево, так что в сумме и произведении двух таких чисел можно вычислять одну цифру за другой — сколько угодно цифр.

Интересно, что написанное выше бесконечное «число» удовлетворяет, как это ни кажется невероятным, уравнению

$$x^2 = x.$$

В самом деле, квадрат этого «числа» (т.е. произведение его на себя) оканчивается на 76, так как каждый из сомножителей имеет на конце 76; по той же причине квадрат написанного «числа» оканчивается на 376; оканчивается на 9376 и т.д. Иначе говоря, вычисляя одну за другой цифры «числа» x^2, где $x = ...7\,109\,376$, мы будем получать те же цифры, которые имеются в числе x, так что $x^2 = x$.

Мы рассмотрели группы цифр, оканчивающиеся на 76[1]. Если аналогичные рассуждения провести для групп цифр, оканчивающихся на 5, то мы получим такие группы цифр:

5, 25, 625, 0625, 90 625, 890 625, 2 890 625 и т.д.

В результате мы сможем написать еще одно бесконечное «число»

...2 890 625,

также удовлетворяющее уравнению $x^2 = x$. Можно было бы показать, что это бесконечное «число» «равно»

$$\left(\left(\left(5^2\right)^2\right)^2\right)^2$$

Полученный интересный результат на языке бесконечных «чисел» формулируется так: уравнение $x^2 = x$ имеет (кроме обычных $x = 0$ и $x = 1$) два «бесконечных» решения:

$$x = ...7\ 109\ 376 \text{ и } x = ...2\ 890\ 625,$$

---

[1] Заметим, что двузначная группа цифр 76 может быть найдена при помощи рассуждений, аналогичных приведенным выше: достаточно решить вопрос о том, какую цифру надо спереди приписать к цифре 6, чтобы полученная двузначная группа цифр обладала рассматриваемым свойством. Поэтому «число» ...7 109 376 можно получить, приписывая спереди одну за другой цифры к шестерке.

а других решений (в десятичной системе счисления) не имеет[1].

Доплата

СТАРИННАЯ НАРОДНАЯ ЗАДАЧА

Однажды в старые времена произошел такой случай. Двое прасолов продали принадлежавший им гурт волов, получив при этом за каждого вола столько рублей, сколько в гурте было волов. На вырученные деньги купили стадо овец по 10 рублей за овцу и одного ягненка. При дележе поровну одному досталась лишняя овца, другой же взял ягненка и получил с компаньона соответствующую доплату. Как велика была доплата (предполагается, что доплата выражается целым числом рублей)?

РЕШЕНИЕ

Задача не поддается прямому переводу «на алгебраический язык», для нее нельзя составить уравнения. Приходится решать ее особым путем, так сказать, по свободному математическому соображению. Но и здесь алгебра оказывает арифметике существенную помощь.

---

[1] Бесконечные «числа» можно рассматривать не только в десятичной, а и в других системах счисления. Такие числа, рассматриваемые в системе счисления с основанием p, называются p-адическими числами. Кое-что об этих числах можно прочесть в книге Е.Б. Дынкина и В.А. Успенского «Математические беседы» (Гостехиздат, 1952).

Стоимость всего стада в рублях есть точный квадрат, так как стадо приобретено на деньги от продажи n волов по n рублей за вола. Одному из компаньонов досталась лишняя овца, следовательно, число овец нечетное; нечетным, значит, является и число десятков в числе n^2. Какова же цифра единиц?

Можно доказать, что если в точном квадрате число десятков нечетное, то цифра единиц в нем может быть только 6.

В самом деле, квадрат всякого числа из a десятков и b единиц, т.е. $(10a + b)^2$, равен

$$100a^2 + 20ab + b^2 = (10a^2 + 2ab) \cdot 10 + b^2.$$

Десятков в этом числе $10a^2 + 2ab$, да еще некоторое число десятков, заключающихся в b^2. Но $10a^2 + 2ab$ делится на 2 — это число четное. Поэтому число десятков, заключающихся в $(10a + b)^2$, будет нечетным, лишь если в числе b^2 окажется нечетное число десятков. Вспомним, что такое b^2. Это — квадрат цифры единиц, т.е. одно из следующих 10 чисел:

$$0, 1, 4, 9, 16, 25, 36, 49, 64, 81.$$

Среди них нечетное число десятков имеют только 16 и 36 — оба оканчивающиеся на 6. Значит, точный квадрат

$$100a^2 + 20ab + b^2$$

может иметь нечетное число десятков только в том случае, если оканчивается на 6.

Теперь легко найти ответ на вопрос задачи. Ясно, что ягненок пошел за 6 рублей. Компаньон, которому он достался, получил, следовательно, на 4 рубля меньше другого. Чтобы уравнять доли, обладатель ягненка должен дополучить от своего компаньона 2 рубля.

Доплата равна 2 рублям.

Делимость на 11

Алгебра весьма облегчает отыскание признаков, по которым можно заранее, не выполняя деления, установить, делится ли данное число на тот или иной делитель. Признаки делимости на 2, 3, 4, 5, 6, 8, 9, 10 общеизвестны. Выведем признак делимости на 11; он довольно прост и практичен.

Пусть многозначное число N имеет цифру единиц a, цифру десятков b, цифру сотен c, цифру тысяч d и т.д., т.е.

$$N = a + 10b + 100c + 1000d + \ldots =$$
$$= a + 10 \cdot (b + 10c + 100d + \ldots),$$

где многоточие означает сумму дальнейших разрядов. Вычтем из N число $11 \, (b + 10c + 100d + \ldots)$, кратное одиннадцати. Тогда полученная разность, равная, как легко видеть,

$$a - b - 10 \cdot (c + 10d + \ldots),$$

будет иметь тот же остаток от деления на 11, что и число N. Прибавив к этой разности число

$11 \cdot (c + 10d + ...)$, кратное одиннадцати, мы получим число

$$a - b + c + 10 \cdot (d + ...),$$

также имеющее тот же остаток от деления на 11, что и число N. Вычтем из него число $11 \cdot (d + ...)$, кратное одиннадцати, и т.д. В результате мы получим число

$$a - b + c - d + ... = (a + c + ...) - (b + d + ...),$$

имеющее тот же остаток от деления на 11, что и исходное число N.

Отсюда вытекает следующий признак делимости на 11: надо из суммы всех цифр, стоящих на нечетных местах, вычесть сумму всех цифр, занимающих четные места; если в разности получится 0 либо число (положительное или отрицательное), кратное 11, то и испытуемое число кратно 11; в противном случае наше число не делится без остатка на 11.

Испытаем, например, число 87 635 064:

$$8 + 6 + 5 + 6 = 25,$$
$$7 + 3 + 0 + 4 = 14,$$
$$25 - 14 = 11.$$

Значит, данное число делится на 11.

Существует и другой признак делимости на 11, удобный для не очень длинных чисел. Он состоит в том, что испытуемое число разбивают справа налево на грани по две цифры в каждой и складывают эти грани. Если полученная сумма делится без остатка на

11, то и испытуемое число кратно 11, в противном случае — нет. Например, пусть требуется испытать число 528. Разбиваем число на грани (5/28) и складываем обе грани:

$$5 + 28 = 33.$$

Так как 33 делится без остатка на 11, то и число 528 кратно 11:

$$528 : 11 = 48.$$

Докажем этот признак делимости. Разобьем многозначное число N на грани. Тогда мы получим двузначные (или однозначные[1]) числа, которые обозначим (справа налево) через a, b, c и т.д., так что число N можно будет записать в виде

$$N = a + 100b + 10\,000c + ... = a + 100 \cdot (b + 100c + ...).$$

Вычтем из N число $99 \cdot (b + 100c + ...)$, кратное одиннадцати. Полученное число

$$a + (b + 100c + ...) = a + b + 100 \cdot (c + ...)$$

будет иметь тот же остаток от деления на 11, что и число N. Из этого числа вычтем число $99 \cdot (c + ...)$, кратное одиннадцати, и т.д. В результате мы найдем, что число N имеет тот же остаток от деления на 11, что и число

$$a + b + c + ...$$

---

[1] Если число N имело нечетное число цифр, то последняя (самая левая) грань будет однозначной. Кроме того, грань вида 03 также следует рассматривать как однозначное число 3.

Номер автомашины

ЗАДАЧА

Прогуливаясь по городу, трое студентов-математиков заметили, что водитель автомашины грубо нарушил правила уличного движения. Номер машины (четырехзначный) ни один из студентов не запомнил, но, так как они были математиками, каждый из них приметил некоторую особенность этого четырехзначного числа. Один из студентов вспомнил, что две первые цифры числа были одинаковы. Второй вспомнил, что две последние цифры также совпадали между собой. Наконец, третий утверждал, что все это четырехзначное число является точным квадратом. Можно ли по этим данным узнать номер машины?

РЕШЕНИЕ

Обозначим первую (и вторую) цифру искомого числа через a, а третью (и четвертую) — через b. Тогда все число будет равно:

$$1000a + 100a + 10b + b = 1100a + 11b = 11 \cdot (100a + b).$$

Число это делится на 11, а потому (будучи точным квадратом) оно делится и на 11^2. Иначе говоря, число $100a + b$ делится на 11. Применяя любой из двух вышеприведенных признаков делимости на 11, найдем, что на 11 делится число $a + b$. Но это значит, что

$$a + b = 11,$$

так как каждая из цифр a, b меньше десяти.

Последняя цифра b числа, являющегося точным квадратом, может принимать только следующие значения:

$$0, 1, 4, 5, 6, 9.$$

Поэтому для цифры a, которая равна $11 - b$, находим такие возможные значения:

$$11, 10, 7, 6, 5, 2.$$

Первые два значения непригодны, и остаются следующие возможности:

$$b = 4, \quad a = 7;$$
$$b = 5, \quad a = 6;$$
$$b = 6, \quad a = 5;$$
$$b = 9, \quad a = 2.$$

Мы видим, что номер автомашины нужно искать среди следующих четырех чисел:

$$7744, 6655, 5566, 2299.$$

Но последние три из этих чисел не являются точными квадратами: число 6655 делится на 5, но не делится на 25; число 5566 делится на 2, но не делится на 4; число $2299 = 121 \cdot 19$ также не является квадратом. Остается только одно число $7744 = 88^2$; оно и дает решение задачи.

Делимость на 19

Обосновать следующий признак делимости на 19.

Число делится без остатка на 19 тогда и только тогда, когда число его десятков, сложенное с удвоенным числом единиц, кратно 19.

РЕШЕНИЕ

Всякое число N можно представить в виде

$$N = 10x + y,$$

где x — число десятков (не цифра в разряде десятков, а общее число целых десятков во всем числе), y — цифра единиц. Нам нужно показать, что N кратно 19 тогда и только тогда, когда

$$N' = x + 2y$$

кратно 19. Для этого умножим N' на 10 и из этого произведения вычтем N; получим:

$$10N' - N = 10 \cdot (x + 2y) - (10x + y) = 19y.$$

Отсюда видно, что если N' кратно 19, то и

$$N = 10N' - 19y$$

делится без остатка на 19; и обратно, если N делится без остатка на 19, то

$$10N' = N + 19y$$

кратно 19, а тогда, очевидно, и N' делится без остатка на 19.

Пусть, например, требуется определить, делится ли на 19 число 47 045 881.

Применяем последовательно наш признак делимости:

```
4  7  0  4  5  8  8 | 1
                +      2
4  7  0  4  5 | 9  0
          +      1  8
4  7  0  6 | 3
       +      6
4  7  1 | 2
    +      4
4  7 | 5
+   1  0
5 | 7
+  1  4
   1  9.
```

Так как 19 делится на 19 без остатка, то кратны 19 и числа 57, 475, 4712, 47 063, 470 459, 4 704 590, 47 045 881.

Итак, наше число делится на 19.

Теорема Софии Жермен

Вот задача, предложенная известным французским математиком Софией Жермен.

Доказать, что каждое число вида $a^4 + 4$ есть составное (если a не равно 1).

РЕШЕНИЕ

Доказательство вытекает из следующих преобразований:

123

$$a^4 + 4 = a^4 + 4a^2 + 4 - 4a^2 = (a^2 + 2)^2 - 4a^2 =$$
$$= (a^2 + 2)^2 - (2a)^2 = (a^2 + 2 - 2a)(a^2 + 2 + 2a).$$

Число $a^4 + 4$ может быть, как мы убеждаемся, представлено в виде произведения двух множителей, не равных ему самому и единице[1], иными словами, оно — составное.

Составные числа

Число так называемых простых чисел, т.е. целых чисел, бóльших единицы, не делящихся без остатка ни на какие другие целые числа, кроме единицы и самих себя, бесконечно велико.

Начинаясь числами 2, 3, 5, 7, 11, 13, 17, 19, 23, 29, 31, ..., ряд их простирается без конца. Вклиниваясь между числами составными, они разбивают натуральный ряд чисел на более или менее длинные участки составных чисел. Какой длины бывают эти участки? Следует ли где-нибудь подряд, например, тысяча составных чисел, не прерываясь ни одним простым числом?

Можно доказать, — хотя это и может показаться неправдоподобным, — что участки составных чисел между простыми бывают любой длины. Нет границы для длины таких участков: они могут состоять из тысячи, из миллиона, из триллиона и т.д. составных чисел.

---

[1] Последнее — потому, что

$$a^2 + 2 - 2a = (a^2 - 2a + 1) + 1 = (a - 1)^2 + 1 \neq 1, \text{ если } a \neq 1.$$

Для удобства будем пользоваться условным символом $n!$, который обозначает произведение всех чисел от 1 до n включительно. Например $5! = 1 \cdot 2 \cdot 3 \cdot 4 \cdot 5$. Мы сейчас докажем, что ряд

$$[(n+1)!+2],\ [(n+1)!+3],\ [(n+1)!+4],\ \ldots$$
$$\text{до } [(n+1)!+n+1] \text{ включительно}$$

состоит из n последовательных составных чисел.

Числа эти идут непосредственно друг за другом в натуральном ряду, так как каждое следующее на 1 больше предыдущего. Остается доказать, что все они — составные.

Первое число

$$(n + 1)! + 2 = 1 \cdot 2 \cdot 3 \cdot 4 \cdot 5 \cdot 6 \cdot 7 \ldots \cdot (n + 1) + 2$$

— четное, так как оба его слагаемых содержат множитель 2. А всякое четное число, большее 2, — составное.

Второе число

$$(n + 1)! + 3 = 1 \cdot 2 \cdot 3 \cdot 4 \cdot 5 \cdot 6 \cdot 7 \cdot \ldots \cdot (n + 1) + 3$$

состоит из двух слагаемых, каждое из которых кратно 3. Значит, и это число составное.

Третье число

$$(n + 1)! + 4 = 1 \cdot 2 \cdot 3 \cdot 4 \cdot 5 \cdot 6 \cdot 7 \cdot \ldots \cdot (n + 1) + 4$$

делится без остатка на 4, так как состоит из слагаемых, кратных 4.

Подобным же образом устанавливаем, что следующее число

$$(n + 1)! + 5$$

кратно 5 и т.д. Иначе говоря, каждое число нашего ряда содержит множитель, отличный от единицы и его самого; оно является, следовательно, составным.

Если вы желаете написать, например, пять последовательных составных чисел, вам достаточно в приведенный выше ряд подставить вместо n число 5. Вы получите ряд

$$722, 723, 724, 725, 726.$$

Но это — не единственный ряд из пяти последовательных составных чисел. Имеются и другие, например,

$$62, 63, 64, 65, 66.$$

Или еще меньшие числа:

$$24, 25, 26, 27, 28.$$

Попробуем теперь решить задачу.

Написать десять последовательных составных чисел.

РЕШЕНИЕ

На основании ранее сказанного устанавливаем, что в качестве первого из искомых десяти чисел можно взять

$$1 \cdot 2 \cdot 3 \cdot 4 \cdot \ldots \cdot 10 \cdot 11 + 2 = 39\ 816\ 802.$$

Искомой серией чисел, следовательно, может служить такая:

$$39\ 816\ 802,\ \ 39\ 816\ 803,\ \ 39\ 816\ 804\ \text{и т.д.}$$

Однако существуют серии из десяти гораздо меньших последовательных составных чисел. Так, можно указать на серию даже не из десяти, а из тринадцати составных последовательных чисел уже во второй сотне:

$$114,\ \ 115,\ \ 116,\ \ 117\ \text{и т.д. до } 126\ \text{включительно.}$$

Число простых чисел

Существование сколь угодно длинных серий последовательных *составных* чисел способно возбудить сомнение в том, действительно ли ряд *простых* чисел не имеет конца. Не лишним будет поэтому привести здесь доказательство бесконечности ряда простых чисел.

Доказательство это принадлежит древнегреческому математику Евклиду и входит в его знаменитые «Начала». Оно относится к разряду доказательств «от противного». Предположим, что ряд простых чисел конечен, и обозначим последнее простое число в этом ряду буквой N. Составим произведение

$$1 \cdot 2 \cdot 3 \cdot 4 \cdot 5 \cdot 6 \cdot 7 \cdot \ldots \cdot N = N!$$

и прибавим к нему 1. Получим:

$$N! + 1.$$

Это число, будучи целым, должно содержать хотя бы один простой множитель, т.е. должно делиться хотя бы на одно простое число. Но все простые числа, по предположению, не превосходят *N*, число же *N*! + 1 не делится без остатка ни на одно из чисел, меньших или равных *N*, — всякий раз получится остаток 1.

Итак, нельзя было принять, что ряд простых чисел конечен: предположение это приводит к противоречию. Таким образом, какую бы длинную серию последовательных составных чисел мы ни встретили в ряду натуральных чисел, мы можем быть убеждены в том, что за нею найдется еще бесконечное множество простых чисел.

Наибольшее известное простое число

Одно дело быть уверенным в том, что *существуют* как угодно большие простые числа, а другое дело — *знать*, какие числа являются простыми. Чем больше натуральное число, тем больше вычислений надо провести, чтобы узнать, является оно простым или нет. Вот наибольшее число, о котором в настоящее время известно, что оно просто:

$$2^{2281} - 1.$$

Это число имеет около семисот десятичных знаков. Вычисления, с помощью которых было установлено, что это число является простым, проводились на современных вычислительных машинах (см. главы первую и вторую).

Ответственный расчет

В вычислительной практике встречаются такие чисто арифметические выкладки, выполнение которых без помощи облегчающих методов алгебры чрезвычайно затруднительно. Пусть требуется, например, найти результат таких действий:

$$\frac{2}{1+\dfrac{1}{90\,000\,000\,000}}.$$

(Вычисление это необходимо для того, чтобы установить, вправе ли техника, имеющая дело со скоростями движения тел, малыми по сравнению со скоростью распространения электромагнитных волн, пользоваться прежним законом сложения скоростей, не считаясь с теми изменениями, которые внесены в механику теорией относительности. Согласно старой механике тело, участвующее в двух одинаково направленных движениях со скоростями v_1 и v_2 километров в секунду, имеет скорость $(v_1 + v_2)$ километров в секунду. Новое же учение дает для скорости тела выражение

$$\frac{v_1 + v_2}{1+\dfrac{v_1 v_2}{c^2}} \text{ километров в секунду,}$$

где c — скорость распространения света в пустоте, равная приблизительно $300\,000$ километров в секунду. В частности, скорость тела, участвующего в двух одинаково направленных движениях, каждое со скоростью 1 километр в секунду, по старой механике равно 2 километрам в секунду, а по новой как раз

$$\frac{2}{1+\dfrac{1}{90\,000\,000\,000}}$$ кияометров в секунду.

Насколько же разнятся эти результаты? Уловима ли разница для тончайших измерительных приборов? Для выяснения этого важного вопроса и приходится выполнить указанное выше вычисление.)

Сделаем это вычисление двояко: сначала обычным арифметическим путем, а затем покажем, как получить результат приемами алгебры. Достаточно одного взгляда на приведенные далее длинные ряды цифр, чтобы убедиться в неоспоримых преимуществах алгебраического способа.

Прежде всего преобразуем нашу «многоэтажную» дробь:

$$\frac{2}{1+\dfrac{1}{90\,000\,000\,000}}=\frac{180\,000\,000\,000}{90\,000\,000\,000}.$$

Произведем теперь деление числителя на знаменатель:

```
180  000  000  000  |  90 000 000 000
 90  000  000  001     1,999 999 999 977...
899  999  999  990
810  000  000  009
899  999  999  810
810  000  000  009
899  999  998  010
810  000  000  009
899  999  980  010
810  000  000  009
899  999  800  010
810  000  000  009
899  998  000  010
810  000  000  009
899  980  000  010
810  000  000  009
899  800  000  010
810  000  000  009
898  000  000  010
810  000  000  009
880  000  000  010
810  000  000  009
700  000  000  010
630  000  000  007
 70  000  000  003
```

131

Вычисление, как видите, утомительное, кропотливое; в нем легко запутаться и ошибиться. Между тем для решения задачи важно в точности знать, на котором именно месте обрывается ряд девяток и начинается серия других цифр.

Сравните теперь, как коротко справляется с тем же расчетом алгебра. Она пользуется следующим приближенным равенством: если a — весьма малая дробь, то

$$\frac{1}{1+a} \approx 1-a,$$

где знак $\approx$ означает «приближенно равно».

Убедиться в справедливости этого утверждения очень просто: сравним делимое 1 с произведением делителя на частное:

$$1 = (1 + a)\,(1 - a),$$

т.е.

$$1 = 1 - a^2.$$

Так как a — весьма малая дробь (например, 0,001), то a^2 еще меньшая дробь (0,000 001), и ею можно пренебречь.

Применим сказанное к нашему расчету[1]:

---

[1] Мы пользуемся далее приближенным равенством

$$\frac{A}{1+a} \approx A(1-a).$$

$$\frac{2}{1+\dfrac{1}{90\,000\,000\,000}} = \frac{2}{1+\dfrac{1}{9\cdot 10^{10}}} \approx$$

$$\approx 2\cdot(1-0,111...\cdot 10^{-10}) =$$

$$= 2 - 0,000\,000\,000\,022\,2... = 1,999\,999\,999\,977\,7...$$

Мы пришли к тому же результату, что и раньше, но гораздо более коротким путем.

(Читателю, вероятно, интересно знать, каково значение полученного результата в поставленной нами задаче из области механики. Этот результат показывает, что ввиду малости рассмотренных скоростей по сравнению со скоростью света уклонение от старого закона сложения скоростей практически не обнаруживается: даже при таких огромных скоростях, как 1 км/с, оно сказывается на одиннадцатой цифре определяемого числа, а в обычной технике ограничиваются 4—6 цифрами. Мы вправе поэтому утверждать, что новая, эйнштейнова, механика практически ничего не меняет в технических расчетах, относящихся к «медленно» (по сравнению с распространением света) движущимся телам. Есть, однако, одна область современной жизни, где этот безоговорочный вывод следует принимать с осторожностью. Речь идет о космонавтике. Ведь уже сегодня мы достигли скоростей порядка 10 км/с (при движении спутников и ракет). В этом случае расхождение классической и эйнштейновой механики скажется уже на девятом знаке. А ведь не за горами еще большие скорости...)

Когда без алгебры проще

Наряду со случаями, когда алгебра оказывает арифметике существенные услуги, бывают и такие, когда вмешательство алгебры вносит лишь ненужное усложнение. Истинное знание математики состоит в умении так распоряжаться математическими средствами, чтобы избирать всегда самый прямой и надежный путь, не считаясь с тем, относится ли метод решения задачи к арифметике, алгебре, геометрии и т.п. Полезно будет поэтому рассмотреть случай, когда привлечение алгебры способно лишь запутать решающего. Поучительным примером может служить следующая задача.

Найти наименьшее из всех тех чисел, которые при делении

на	2	дают	в	остатке	1
»	3	»	»	»	2
»	4	»	»	»	3
»	5	»	»	»	4
»	6	»	»	»	5
»	7	»	»	»	6
»	8	»	»	»	7
»	9	»	»	»	8

РЕШЕНИЕ

Задачу эту предложили мне со словами: «Как вы решили бы такую задачу? Здесь слишком много уравнений; не выпутаться из них».

Ларчик просто открывается; никаких уравнений, никакой алгебры для решения задачи не требуется — она решается несложным арифметическим рассуждением.

Прибавим к искомому числу единицу. Какой остаток даст оно тогда при делении на 2? Остаток $1 + 1 = 2$; другими словами, число разделится на 2 без остатка.

Точно так же разделится оно без остатка и на 3, на 4, на 5, на 6, на 7, на 8 и на 9. Наименьшее из таких чисел есть $9 \cdot 8 \cdot 7 \cdot 5 = 2520$, а искомое число равно 2519, что нетрудно проверить испытанием.

ГЛАВА ЧЕТВЕРТАЯ

ДИОФАНТОВЫ УРАВНЕНИЯ

Покупка свитера

ЗАДАЧА

Вы должны уплатить за купленный в магазине свитер 19 руб. У вас одни лишь трехрублевки, у кассира — только пятирублевки. Можете ли вы при наличии таких денег расплатиться с кассиром и как именно?

Вопрос задачи сводится к тому, чтобы узнать, сколько должны вы дать кассиру трехрублевок, чтобы, получив сдачу пятирублевками, уплатить 19 рублей. Неизвестных в задаче два — число (x) трехрублевок и число (y) пятирублевок. Но можно составить только одно уравнение:

$$3x - 5y = 19.$$

Хотя одно уравнение с двумя неизвестными имеет бесчисленное множество решений, но отнюдь еще не очевидно, что среди них найдется хоть одно с целыми положительными x и y (вспомним, что это — числа кредитных билетов). Вот почему алгебра разработала метод решения подобных «неопределенных» уравнений. Заслуга введения их в алгебру принадлежит первому европейскому представителю этой науки, знаменитому математику древности Диофанту, отчего такие уравнения часто называют «диофантовыми».

РЕШЕНИЕ

На приведенном примере покажем, как следует решать подобные уравнения.

Надо найти значения x и y в уравнении

$$3x - 5y = 19,$$

зная при этом, что x и y — числа целые и положительные.

Уединим то неизвестное, коэффициент которого меньше, т.е., получим:

$$3x = 19 + 5y,$$

откуда

$$x = \frac{19 + 5y}{3} = 6 + y + \frac{1 + 2y}{3}.$$

Так как x, 6 и y — числа целые, то равенство может быть верно лишь при условии, что $\dfrac{1 + 2y}{3}$ есть также целое число. Обозначим его буквой t. Тогда

$$x = 6 + y + t,$$

где
$$t = \frac{1 + 2y}{3},$$

и, значит,

$$3t = 1 + 2y, \quad 2y = 3t - 1.$$

Из последнего уравнения определяем y:

$$y = \frac{3t - 1}{2} = t + \frac{t - 1}{2}.$$

Так как y и t — числа целые, то и $\dfrac{t - 1}{2}$ должно быть некоторым целым числом t_1. Следовательно,

$$y = t + t_1,$$

причем

$$t_1 = \frac{t - 1}{2},$$

откуда

$$2t_1 = t - 1 \quad \text{и} \quad t = 2t_1 + 1.$$

Значение $t = 2t_1 + 1$ подставляем в предыдущие равенства:

$$y = t + t_1 = (2t_1 + 1) + t_1 = 3t_1 + 1,$$
$$x = 6 + y + t = 6 + (3t_1 + 1) + (2t_1 + 1) = 8 + 5t_1.$$

Итак, для x и y мы нашли выражения[1]

---

[1] Строго говоря, мы доказали только то, что всякое целочисленное решение уравнения $3x - 5y = 19$ имеет вид $x = 8 + 5t_1$, $y = 1 + 3t_1$, где t_1 — некоторое целое число. Обратное (т.е. то, что при любом целом t_1 мы получаем некоторое целочисленное решение данного нам уравнения) доказано не было. Однако в этом легко убедиться, проводя рассуждения в

$$x = 8 + 5t_1,$$
$$y = 1 + 3t_1.$$

Числа x и y, мы знаем, — не только целые, но и положительные, т.е. бо́льшие чем 0. Следовательно,

$$8 + 5t_1 > 0,$$
$$1 + 3t_1 > 0.$$

Из этих неравенств находим:

$$5t_1 > -8 \quad \text{и} \quad t_1 > -\frac{8}{5},$$

$$3t_1 > -1 \quad \text{и} \quad t_1 > -\frac{1}{3}.$$

Этим величина t_1 ограничивается; она больше чем $-\frac{1}{3}$ (и, значит, подавно больше чем $-\frac{8}{5}$). Но так как t_1 — число целое, то заключаем, что для него возможны лишь следующие значения:

$$t_1 = 0, 1, 2, 3, 4, \ldots$$

Соответствующие значения для x и y таковы:

$$x = 8 + 5t_1 = 8, 13, 18, 23, \ldots,$$
$$y = 1 + 3t_1 = 1, 4, 7, 10, \ldots$$

Теперь мы установили, как может быть произведена уплата:

обратном порядке или подставив найденные значения x и y в первоначальное уравнение.

вы либо платите 8 трехрублевок, получая одну пятирублевку сдачи:

$$8 \cdot 3 - 5 = 19,$$

либо платите 13 трехрублевок, получая сдачи 4 пятирублевки:

$$13 \cdot 3 - 4 \cdot 5 = 19$$

и т.д.

Теоретически задача имеет бесчисленный ряд решений, практически же число решений ограничено, так как ни у покупателя, ни у кассира нет бесчисленного множества кредитных билетов. Если, например, у каждого всего по 10 билетов, то расплата может быть произведена только одним способом: выдачей 8 трехрублевок и получением 5 рублей сдачи. Как видим, неопределенные уравнения практически могут давать вполне определенные пары решений.

Возвращаясь к нашей задаче, предлагаем читателю в качестве упражнения самостоятельно решить ее вариант, а именно рассмотреть случай, когда у покупателя только пятирублевки, а у кассира только трехрублевки. В результате получится такой ряд решений:

$$x = 5, 8, 11, ...,$$
$$y = 2, 7, 12, ...$$

Действительно,

$$5 \cdot 5 - 2 \cdot 3 = 19,$$
$$8 \cdot 5 - 7 \cdot 3 = 19,$$
$$11 \cdot 5 - 12 \cdot 3 = 19,$$
$$. \quad . \quad . \quad . \quad . \quad . \quad . \quad . \quad .$$

Мы могли бы получить эти результаты также и из готового уже решения основной задачи, воспользовавшись простым алгебраическим приемом. Так как *давать* пятирублевки и *получать* трехрублевки все равно, что «*получать* отрицательные пятирублевки» и «*давать* отрицательные трехрублевки», то новый вариант задачи решается тем же уравнением, которое мы составили для основной задачи:

$$3x - 5y = 19,$$

но при условии, что x и y — числа отрицательные. Поэтому из равенств

$$x = 8 + 5t_1,$$
$$y = 1 + 3t_1$$

мы, зная, что $x < 0$ и $y < 0$, выводим:

$$8 + 5t_1 < 0,$$
$$1 + 3t_1 < 0,$$

и, следовательно,

$$t_1 < -\frac{8}{5}.$$

Принимая $t_1 = -2, -3, -4$ и т.д., получаем из предыдущих формул следующие значения для x и y:

$$t_1 = -2, \ -3, \ \ -4,$$
$$x = -2, \ -7, \ -12,$$
$$y = -5, \ -8, \ -11.$$

Первая пара решений, $x = -2, y = -5$, означает, что покупатель «платит минус 2 трехрублевки» и «получает минус 5 пятирублевок», т.е. в переводе на обычный язык — платит 5 пятирублевок и получает сдачи 2 трехрублевки. Подобным же образом истолковываем и прочие решения.

Ревизия магазина

ЗАДАЧА

При ревизии торговых книг магазина одна из записей оказалась залитой чернилами и имела такой вид:

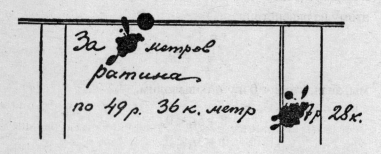

Невозможно было разобрать число проданных метров, но было несомненно, что число это не дробное; в вырученной сумме можно было различить только последние три цифры, да установить еще, что перед ними были три какие-то другие цифры.

Может ли ревизионная комиссия по этим следам установить запись?

РЕШЕНИЕ

Обозначим число метров через x. Вырученная сумма выразится в копейках через

$$4936x.$$

Число, выражаемое тремя залитыми цифрами в записи денежной суммы, обозначим через y. Это, очевидно, число тысяч копеек, а вся сумма в копейках изобразится так:

$$1000y + 728.$$

Имеем уравнение

$$4936x = 1000y + 728,$$

или, после сокращения на 8,

$$617x - 125y = 91.$$

В этом уравнении x и y — числа целые и притом y не больше 999, так как более чем из трех цифр оно состоять не может. Решаем уравнение, как раньше было указано:

$$125y = 617x - 91,$$

$$y = 5x - 1 + \frac{34 - 8x}{125} = 5x - 1 + \frac{2 \cdot (17 - 4x)}{125} = 5x - 1 + 2t.$$

(Здесь мы приняли $\frac{617}{125} = 5 - \frac{8}{125}$, так как нам выгодно иметь возможно меньшие остатки. Дробь

$$\frac{2 \cdot (17 - 4x)}{125}$$

143

есть целое число, а так как 2 не делится на 125, то

$\dfrac{17-4x}{125}$ должно быть целым числом, которое мы и

обозначили через t.)

Далее из уравнения

$$\frac{17-4x}{125}=t$$

имеем:

$$17-4x=125t,$$

$$x=4-31t+\frac{1-t}{4}=4-31t+t_1,$$

где

$$t_1=\frac{1-t}{4},$$

и, следовательно,

$$4t_1=1-t;$$
$$t=1-4t_1;$$

$$x=125t_1-27,$$

$$y=617t_1-134^1.$$

[1] Обратите внимание на то, что коэффициенты при t_1 равны коэффициентам при x и y в исходном уравнении
$$617x-125y=91,$$
причем у одного из коэффициентов при t_1 знак обратный. Это не случайность: можно доказать, что так должно быть всегда, если коэффициенты при x и y — взаимно простые.

Мы знаем, что

$$100 \le y < 1000.$$

Следовательно,

$$100 \le 617t_1 - 134 < 1000,$$

откуда

$$t_1 \ge \frac{234}{617} \text{ и } t_1 < \frac{1134}{617}.$$

Очевидно, для t_1 существует только одно целое значение:

$$t_1 = 1,$$

и тогда

$$x = 98, y = 483,$$

т.е. было отпущено 98 метров на сумму 4837 р. 28 к. Запись восстановлена.

Покупка почтовых марок

ЗАДАЧА

Требуется на один рубль купить 40 штук почтовых марок — копеечных, 4-копеечных и 12-копеечных. Сколько окажется марок каждого достоинства?

РЕШЕНИЕ

В этом случае у нас имеется два уравнения с тремя неизвестными:

$$x + 4y + 12z = 100,$$
$$x + y + \quad z = 40,$$

где x — число копеечных марок, y — 4-копеечных, z — 12-копеечных.

Вычитая из первого уравнения второе, получим одно уравнение с двумя неизвестными:

$$3y + 11z = 60.$$

Находим y:

$$y = 20 - 11 \cdot \frac{z}{3}.$$

Очевидно, $\dfrac{z}{3}$ — число целое. Обозначим его через t. Имеем:

$$y = 20 - 11t,$$
$$z = 3t.$$

Подставляем выражения для y и z во второе из исходных уравнений:

$$x + 20 - 11t + 3t = 40 ;$$

получаем:

$$x = 20 + 8t.$$

Так как $x \geq 0$, $y \geq 0$ и $z \geq 0$, то нетрудно установить границы для t:

$$0 \leq t \leq 1\frac{9}{11},$$

откуда заключаем, что для t возможны только два целых значения:

$$t = 0 \quad \text{и} \quad t = 1.$$

Соответствующие значения x, y и z таковы:

$t =$	0	1
$x =$	20	28
$y =$	20	9
$z =$	0	3

Проверка:

$$20 \cdot 1 + 20 \cdot 4 + 0 \cdot 12 = 100,$$
$$28 \cdot 1 + 9 \cdot 4 + 3 \cdot 12 = 100.$$

Итак, покупка марок может быть произведена только двумя способами (а если потребовать, чтобы была куплена *хотя бы одна* марка каждого достоинства, — то только одним способом).

Следующая задача — в том же роде.

Покупка фруктов

ЗАДАЧА

На 5 руб. куплено 100 штук разных фруктов. Цены на фрукты таковы:

арбуз,	штука	....	50	коп.
яблоки,	»	....	10	»
сливы,	»	....	1	»

Сколько фруктов каждого рода было куплено?

Рис. 12

РЕШЕНИЕ

Обозначив число арбузов через x, яблок через y и слив через z, составляем два уравнения:

$$\begin{cases} 50x + 10y + 1z = 500, \\ x + y + z = 100. \end{cases}$$

Вычтя из первого уравнения второе, получим одно уравнение с двумя неизвестными:

$$49x + 9y = 400.$$

Дальнейший ход решения таков:

$$y = \frac{400 - 49x}{9} = 44 - 5x + \frac{4 \cdot (1 - x)}{9} = 44 - 5x + 4t,$$

$$t = \frac{1 - x}{9}, x = 1 - 9t,$$

$$y = 44 - 5 \cdot (1 - 9t) + 4t = 39 + 49t.$$

Из неравенств

$$1 - 9t \geq 0 \quad \text{и} \quad 39 + 49t \geq 0$$

устанавливаем, что

$$\frac{1}{9} \geq t \geq -\frac{39}{49}$$

и, следовательно, $t = 0$. Поэтому

$$x = 1, \quad y = 39.$$

Подставив эти значения x и y во второе уравнение, получаем: $z = 60$.

Итак, куплены были 1 арбуз, 39 яблок и 60 слив. Других комбинаций быть не может.

Отгадать день рождения

ЗАДАЧА

Умение решать неопределенные уравнения дает возможность выполнить следующий математический фокус.

Вы предлагаете товарищу умножить число даты его рождения на 12, а номер месяца — на 31. Он сообщает вам сумму обоих произведений, и вы вычисляете по ней дату рождения.

Если, например, товарищ ваш родился 9 февраля, то он выполняет следующие выкладки:

$$9 \cdot 12 = 108, \quad 2 \cdot 31 = 62, \quad 108 + 62 = 170.$$

Это последнее число, 170, он сообщает сам, и вы определяете задуманную дату. Как?

РЕШЕНИЕ

Задача сводится к решению неопределенного уравнения

$$12x + 31y = 170$$

в целых и положительных числах, причем число месяца x не больше 31, а номер месяца y не больше 12:

$$x = \frac{170 - 31y}{12} = 14 - 3y + \frac{2 + 5y}{12} = 14 - 3y + t,$$

$$2 + 5y = 12t,$$

$$y = \frac{-2 + 12t}{5} = 2t - 2 \cdot \frac{1 - t}{5} = 2t - 2t_1;$$

$$1 - t = 5t_1, \ t = 1 - 5t_1,$$

$$y = 2 \cdot (1 - 5t_1) - 2t_1 = 2 - 12t_1,$$

$$x = 14 - 3 \cdot (2 - 12t_1) + 1 - 5t_1 = 9 + 31t_1.$$

Зная, что $31 \geq x > 0$ и $12 \geq y > 0$, находим границы для t_1:

$$-\frac{9}{31} < t_1 < \frac{1}{6}.$$

Следовательно,

$$t_1 = 0, x = 9, y = 2.$$

Дата рождения 9-е число второго месяца, т.е. 9 февраля.

Можно предложить и другое решение, не использующее уравнений. Нам сообщено число $a = 12x + 31y$. Так как $12x + 24y$ делится на 12, то числа $7y$ и a имеют одинаковые остатки от деления на 12. Умножив на 7, найдём, что $49y$ и $7a$ имеют одинаковые остатки от деления на 12. Но $49y = 48y + y$, а $48y$ делится на 12. Значит, y и $7a$ имеют одинаковые остатки от деления на 12. Иными словами, если a не делится на 12, то y равен остатку от деления числа $7a$ на 12; если же a делится на 12, то $y = 12$. Этим число y (номер месяца) вполне определяется. Ну, а зная y, уже ничего не стоит узнать x.

Маленький совет: прежде чем узнавать остаток от деления числа $7a$ на 12, замените само число a его остатком от деления на 12 — считать будет проще. Например, если $a = 170$, то вы должны произвести в уме следующие вычисления:

$$170 = 12 \cdot 14 + 2 \text{ (остаток, значит, равен 2);}$$

$$2 \cdot 7 = 14; \ 14 = 12 \cdot 1 + 2 \text{ (значит, } y = 2\text{);}$$

$$x = \frac{170 - 31y}{12} = \frac{170 - 31 \cdot 2}{12} = \frac{108}{12} = 9 \text{ (значит, } x = 2\text{).}$$

Теперь вы можете сообщить товарищу дату его рождения: 9 февраля.

Докажем, что фокус всегда удаётся без отказа, т.е. что уравнение всегда имеет только одно решение в целых положительных числах. Обозначим число, которое сообщил ваш товарищ, через a, так что нахождение даты его рождения сводится к решению уравнения

$$12x + 31y = a.$$

Станем рассуждать «от противного». Предположим, что это уравнение имеет два различных решения в целых положительных числах, а именно решение x_1, y_1 и решение x_2, y_2, причем x_1 и x_2 не превосходят 31, а v и y_2 не превосходят 12. Мы имеем:

$$12x_1 + 31y_1 = a,$$
$$12x_2 + 31y_2 = a.$$

Вычитая из первого равенства второе, получим:

$$12 \cdot (x_1 - x_2) + 31 \cdot (y_1 - y_2) = 0.$$

Из этого равенства вытекает, что число $12 \cdot (x_1 - x_2)$ делится на 31. Так как x_1 и x_2 — положительные числа, не превосходящие 31, то их разность $x_1 - x_2$ по величине меньше чем 31. Поэтому число $12 \cdot (x_1 - x_2)$ может делиться на 31 только в том случае, когда $x_1 = x_2$, т.е. когда первое решение совпадает со вторым. Таким образом, предположение о существовании двух *различных* решений приводит к противоречию.

Продажа кур

СТАРИННАЯ ЗАДАЧА

Три сестры пришли на рынок с курами. Одна принесла для продажи 10 кур, другая 16, третья 26. До полудня они продали часть своих кур по одной и той же цене. После полудня, опасаясь, что не все куры будут проданы, они понизили цену и распродали оставшихся кур снова по одинаковой цене. Домой все трое вернулись с одинаковой выручкой: каждая сестра получила от продажи 35 рублей.

По какой цене продавали они кур до и после полудня?

РЕШЕНИЕ

Обозначим число кур, проданных каждой сестрой до полудня, через x, y, z. Во вторую половину дня они продали $10 - x$, $16 - y$, $26 - z$ кур. Цену до полудня обозначим через m, после полудня — через n. Для ясности сопоставим эти обозначения.

Число проданных кур				Цена
До полудня	x	y	z	m
После полудня	$10 - x$	$16 - y$	$26 - z$	n

Первая сестра выручила:

$mx + n(10 - x)$; следовательно, $mx + n(10 - x) = 35$;

вторая:

$my + n(16 - y)$; следовательно, $my + n(16 - y) = 35$;

третья:

$mz + n(26 - z)$; следовательно, $mz + n(26 - z) = 35$.

153

Преобразуем эти три уравнения:

$$\begin{cases} (m-n)x + 10n = 35, \\ (m-n)y + 16n = 35, \\ (m-n)z + 26n = 35. \end{cases}$$

Вычтя из третьего уравнения первое, затем второе, получим последовательно:

$$\begin{cases} (m-n)(z-x) + 16n = 0, \\ (m-n)(z-y) + 10n = 0, \end{cases}$$

или

$$\begin{cases} (m-n)(x-z) = 16n, \\ (m-n)(y-z) = 10n. \end{cases}$$

Делим первое из этих уравнений на второе:

$$\frac{x-z}{y-z} = \frac{8}{5}, \text{ или } \frac{x-z}{8} = \frac{y-z}{5}.$$

Так как x, y, z — числа целые, то и разности $x-z$, $y-z$ — тоже целые числа. Поэтому для существования равенства

$$\frac{x-z}{8} = \frac{y-z}{5}$$

необходимо, чтобы $x-z$ делилось на 8, а $y-z$ на 5. Следовательно,

$$\frac{x-z}{8} = t = \frac{y-z}{5},$$

154

откуда

$$x = z + 8t,$$
$$y = z + 5t.$$

Заметим, что число t — не только целое, но и положительное, так как $x > z$ (в противном случае первая сестра не могла бы выручить столько же, сколько третья).

Так как $x < 10$, то

$$z + 8t < 10.$$

При целых и положительных z и t последнее неравенство удовлетворяется только в одном случае: когда $z = 1$ и $t = 1$. Подставив эти значения в уравнения

$$x = z + 8t,$$
$$y = z + 5t,$$

находим: $x = 9$, $y = 6$.

Теперь, обращаясь к уравнениям

$$mx + n(10 - x) = 35;$$
$$my + n(16 - y) = 35;$$
$$mz + n(26 - z) = 35.$$

и подставив в них найденные значения x, y, z, узнаем цены, по каким продавались куры:

$$m = 3\frac{3}{4} \text{ руб.}, \quad n = 1\frac{1}{4} \text{ руб.}$$

Итак, куры продавались до полудня по 3 руб. 75 коп., после полудня по 1 руб. 25 коп.

Два числа и четыре действия

ЗАДАЧА

Предыдущую задачу, которая привела к трем уравнениям с пятью неизвестными, мы решили не по общему образцу, а по свободному математическому соображению. Точно так же будем решать и следующие задачи, приводящие к неопределенным уравнениям второй степени.

Вот первая из них.

Над двумя целыми положительными числами были выполнены следующие четыре действия:

1) их сложили;

2) вычли из большего меньшее;

3) перемножили;

4) разделили большее на меньшее.

Полученные результаты сложили — составилось 243. Найти эти числа.

РЕШЕНИЕ

Если большее число x, меньшее y, то

$$(x + y) + (x - y) + xy + \frac{x}{y} = 243.$$

Если это уравнение умножить на y, затем раскрыть скобки и привести подобные члены, то получим:

$$x(2y + y^2 + 1) = 243y.$$

Но $2y + y^2 + 1 = (y+1)^2$. Поэтому

$$x = \frac{243y}{(y+1)^2}.$$

Чтобы x было целым числом, знаменатель $(y + 1)^2$ должен быть одним из делителей числа 243 (потому что y не может иметь общие множители с $y + 1$). Зная, что $243 = 3^5$, заключаем, что 243 делится только на следующие числа, являющиеся точными квадратами: $1, 3^2, 9^2$. Итак, $(y + 1)^2$ должно быть равно 1, 3^2 или 9^2, откуда (вспоминая, что y должно быть положительным) находим, что y равно 8 или 2.

Тогда x равно

$$\frac{243 \cdot 8}{81} \ \text{или} \ \frac{243 \cdot 2}{9}.$$

Итак, искомые числа: 24 и 8 или 54 и 2.

Какой прямоугольник?

ЗАДАЧА

Стороны прямоугольника выражаются целыми числами. Какой длины должны они быть, чтобы периметр прямоугольника численно равнялся его площади?

РЕШЕНИЕ

Обозначив стороны прямоугольника через x и y, составляем уравнение

$$2x + 2y = xy,$$

откуда

$$x = \frac{2y}{y-2}.$$

Так как x и y должны быть положительными, то положительным должно быть и число $y - 2$, т.е. y должно быть больше 2. Заметим теперь, что

$$x = \frac{2y}{y-2} = \frac{2 \cdot (y-2)}{y-2} = 2 + \frac{4}{y-2}.$$

Так как x должно быть целым числом, то выражение $\frac{4}{y-2}$ должно быть целым числом. Но при $y > 2$ это возможно лишь, если y равно 3, 4 или 6. Соответствующие значения x будут 6, 4, 3.

Итак, искомая фигура есть либо прямоугольник со сторонами 3 и 6, либо квадрат со стороной 4.

Два двузначных числа

ЗАДАЧА

Числа 46 и 96 обладают любопытной особенностью: их произведение не меняет своей величины, если переставить их цифры.

Действительно,

$$46 \cdot 96 = 4416 = 64 \cdot 69.$$

158

Требуется установить, существуют ли еще другие пары двузначных чисел с тем же свойством. Как разыскать их все?

РЕШЕНИЕ

Обозначив цифры искомых чисел через x и y, z и t, составляем уравнение

$$(10x + y)(10z + t) = (10y + x)(10t + z).$$

Раскрыв скобки, получаем после упрощений:

$$xz = yt,$$

где x, y, z, t — целые числа, меньшие 10. Для разыскания решений составляем из 9 цифр все пары с равными произведениями:

$$1 \cdot 4 = 2 \cdot 2 \quad 2 \cdot 8 = 4 \cdot 4$$
$$1 \cdot 6 = 2 \cdot 3 \quad 2 \cdot 9 = 3 \cdot 6$$
$$1 \cdot 8 = 2 \cdot 4 \quad 3 \cdot 8 = 4 \cdot 6$$
$$1 \cdot 9 = 3 \cdot 3 \quad 4 \cdot 9 = 6 \cdot 6$$
$$2 \cdot 6 = 3 \cdot 4$$

Всех равенств 9. Из каждого можно составить одну или две искомые группы чисел. Например, из равенства $1 \cdot 4 = 2 \cdot 2$ составляем одно решение:

$$12 \cdot 42 = 21 \cdot 24.$$

Из равенства $1 \cdot 6 = 2 \cdot 3$ находим два решения:

$$12 \cdot 63 = 21 \cdot 36, \quad 13 \cdot 62 = 31 \cdot 26.$$

Таким образом разыскиваем следующие 14 решений:

$$12 \cdot 42 = 21 \cdot 24 \qquad 23 \cdot 96 = 32 \cdot 69$$
$$12 \cdot 63 = 21 \cdot 36 \qquad 24 \cdot 63 = 42 \cdot 36$$
$$12 \cdot 84 = 21 \cdot 48 \qquad 24 \cdot 84 = 42 \cdot 48$$
$$13 \cdot 62 = 31 \cdot 26 \qquad 26 \cdot 93 = 62 \cdot 39$$
$$13 \cdot 93 = 31 \cdot 39 \qquad 34 \cdot 86 = 43 \cdot 68$$
$$14 \cdot 82 = 41 \cdot 28 \qquad 36 \cdot 84 = 63 \cdot 48$$
$$23 \cdot 64 = 32 \cdot 46 \qquad 46 \cdot 96 = 64 \cdot 69$$

Пифагоровы числа

Удобный и очень точный способ, употребляемый землемерами для проведения на местности перпендикулярных линий, состоит в следующем. Пусть через точку A требуется к прямой MN провести перпендикуляр (рис. 13). Откладывают от A по направлению AM три раза какое-нибудь расстояние a. Затем завязывают на шнуре три узла, расстояния между которыми равны $4a$ и $5a$. Приложив крайние узлы к точкам A и B, натягивают шнур за средний узел. Шнур расположится треугольником, в котором угол A — прямой.

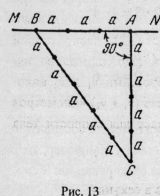

Рис. 13

Этот древний способ, по-видимому, применявшийся еще тысячелетия назад строителями египет-

ских пирамид, основан на том, что каждый треуголь-
ник, стороны которого относятся, как $3:4:5$, согл -
но общеизвестной теореме Пифагора, — прямоугольный, так как

$$3^2 + 4^2 = 5^2.$$

Кроме чисел 3, 4, 5, существует, как известно, бесчисленное множество целых положительных чисел a,
b, c, удовлетворяющих соотношению

$$a^2 + b^2 = c^2.$$

Они называются *пифагоровыми числами*. Согласно
теореме Пифагора такие числа могут служить длина-
ми сторон некоторого прямоугольного треугольника;
поэтому a и b называют «катетами», а c — «гипоте-
нузой».

Ясно, что если a, b, c есть тройка пифагоровых
чисел, то и pa, pb, pc, где p — целочисленный множитель, — пифагоровы числа. Обратно, если пифагоровы числа имеют общий множитель, то на этот общий
множитель можно их все сократить, и снова получится тройка пифагоровых чисел. Поэтому будем вначале
исследовать лишь тройки взаимно простых пифагоровых чисел (остальные получаются из них умножением
на целочисленный множитель p).

Покажем, что в каждой из таких троек a, b, c один
из «катетов» должен быть четным, а другой нечетным. Станем рассуждать «от противного». Если оба
«катета» a и b четны, то четным будет число $a^2 + b^2$, а

значит, и «гипотенуза». Это, однако, противоречит тому, что числа a, b, c не имеют общих множителей, так как три четных числа имеют общий множитель 2. Таким образом, хоть один из «катетов» a, b нечетен.

Остается еще одна возможность: оба «катета» нечетные, а «гипотенуза» четная. Нетрудно доказать, что этого не может быть. В самом деле: если «катеты» имеют вид

$$2x + 1 \quad \text{и} \quad 2y + 1,$$

то сумма их квадратов равна

$$4x^2 + 4x + 1 + 4y^2 + 4y + 1 = 4 \cdot (x^2 x + y^2 + y) + 2,$$

т.е. представляет собой число, которое при делении на 4 дает в остатке 2. Между тем квадрат всякого четного числа должен делиться на 4 без остатка. Значит, сумма квадратов двух нечетных чисел не может быть квадратом четного числа; иначе говоря, наши три числа — не пифагоровы.

Итак, из «катетов» a, b один четный, а другой нечетный. Поэтому число $a^2 + b^2$ нечетно, а значит, нечетна и «гипотенуза» c.

Предположим, для определенности, что нечетным является «катет» a, а четным b. Из равенства

$$a^2 + b^2 = c^2$$

мы легко получаем:

$$a^2 = c^2 - b^2 = (c + b)(c - b).$$

Множители $c + b$ и $c - b$, стоящие в правой части, взаимно просты. Действительно, если бы эти числа имели общий простой множитель, отличный от единицы, то на этот множитель делились бы и сумма

$$(c + b) + (c - b) = 2c,$$

и разность

$$(c + b) - (c - b) = 2b,$$

и произведение

$$(c + b)(c - b) = a^2,$$

т.е. числа $2c$, $2b$ и a имели бы общий множитель. Так как a нечетно, то этот множитель отличен от двойки, и потому этот же общий множитель имеют числа a, b, c, чего, однако, не может быть. Полученное противоречие показывает, что числа $c + b$ и $c - b$ взаимно просты.

Но если произведение взаимно простых чисел есть точный квадрат, то каждое из них является квадратом, т.е.

$$\begin{cases} c + b = m^2, \\ c - b = n^2. \end{cases}$$

Решив эту систему, найдем:

$$c = \frac{m^2 + n^2}{2}, \quad b = \frac{m^2 - n^2}{2},$$

$$a^2 = (c+b)(c-b) = m^2 n^2, \; a = mn.$$

Итак, рассматриваемые пифагоровы числа имеют вид

$$a = mn, \; b = \frac{m^2 - n^2}{2}, \; c = \frac{m^2 + n^2}{2},$$

где m и n — некоторые взаимно простые нечетные числа. Читатель легко может убедиться и в обратном: при любых нечетных m и n написанные формулы дают три пифагоровых числа a, b, c.

Вот несколько троек пифагоровых чисел, получаемых при различных m и n:

при $m = 3$,	$n = 1$	$3^2 + 4^2 = 5^2$,
при $m = 5$,	$n = 1$	$5^2 + 12^2 = 13^2$,
при $m = 7$,	$n = 1$	$7^2 + 24^2 = 25^2$,
при $m = 9$,	$n = 1$	$9^2 + 40^2 = 41^2$,
при $m = 11$,	$n = 1$	$11^2 + 60^2 = 61^2$,
при $m = 13$,	$n = 1$	$13^2 + 84^2 = 85^2$,
при $m = 5$,	$n = 3$	$15^2 + 8^2 = 17^2$,
при $m = 7$,	$n = 3$	$21^2 + 20^2 = 29^2$,
при $m = 11$,	$n = 3$	$33^2 + 56^2 = 65^2$,
при $m = 13$,	$n = 3$	$39^2 + 80^2 = 89^2$,
при $m = 7$,	$n = 5$	$35^2 + 12^2 = 37^2$,
при $m = 9$,	$n = 5$	$45^2 + 28^2 = 53^2$,
при $m = 11$,	$n = 5$	$55^2 + 48^2 = 73^2$,
при $m = 13$,	$n = 5$	$65^2 + 72^2 = 97^2$,
при $m = 9$,	$n = 7$	$63^2 + 16^2 = 65^2$,
при $m = 11$,	$n = 7$	$77^2 + 36^2 = 85^2$.

(Все остальные тройки пифагоровых чисел или имеют общие множители, или содержат числа, бо́льшие ста.)

Пифагоровы числа обладают вообще рядом любопытных особенностей, которые мы перечисляем далее без доказательств:

1) один из «катетов» должен быть кратным *трем*;

2) один из «катетов» должен быть кратным *четырем*;

3) одно из пифагоровых чисел должно быть кратно *пяти*.

Читатель может удостовериться в наличии этих свойств, просматривая приведенные выше примеры групп пифагоровых чисел.

Неопределенное уравнение третьей степени

Сумма кубов трех целых чисел может быть кубом четвертого числа. Например, $3^3 + 4^3 + 5^3 = 6^3$.

Это означает, между прочим, что куб, ребро которого равно 6 см, равновелик сумме трех кубов, ребра которых равны 3 см, 4 см и 5 см (рис. 14), — соотношение, по преданию, весьма занимавшее Платона.

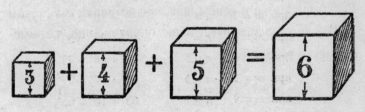

Рис. 14

Попытаемся найти другие соотношения такого же рода, т.е. поставим перед собой такую задачу: найти решения уравнения $x^3 + y^3 + z^3 = u^3$. Удобнее, однако, обозначить неизвестное u через t. Тогда уравнение будет иметь более простой вид

$$x^3 + y^3 + z^3 + t^3 = 0.$$

Рассмотрим прием, позволяющий найти бесчисленное множество решений этого уравнения в целых (положительных и отрицательных) числах. Пусть a, b, c, d и α, β, γ, δ — две четверки чисел, удовлетворяющих уравнению. Прибавим к числам первой четверки числа второй четверки, умноженные на некоторое число k, и постараемся подобрать число k так, чтобы полученные числа

$$a + k\alpha,\ b + k\beta,\ c + k\gamma,\ d + k\delta$$

также удовлетворяли нашему уравнению. Иначе говоря, подберем k таким образом, чтобы было выполнено равенство

$$(a + k\alpha)^3 + (b + k\beta)^3 + (c + k\gamma)^3 + (d + k\delta)^3 = 0.$$

Раскрыв скобки и вспоминая, что четверки a, b, c, d и α, β, γ, δ удовлетворяют нашему уравнению, т.е. имеют место равенства

$$a^3 + b^3 + c^3 + d^3 = 0,\quad \alpha^3 + \beta^3 + \gamma^3 + \delta^3 = 0,$$

мы получим:

$$3a^2k\alpha + 3ak^2\alpha^2 + 3b^2k\beta + 3bk^2\beta^2 +$$
$$+ 3c^2k\gamma + 3ck^2\gamma^2 + 3d^2k\delta + 3dk^2\delta^2 = 0$$

или

$$3k[(a^2\alpha + b^2\beta + c^2\gamma + d^2\delta) + k(a\alpha^2 + b\beta^2 + c\gamma^2 + d\delta^2)] = 0.$$

Произведение может обращаться в нуль только в том случае, когда обращается в нуль хотя бы один из его множителей. Приравнивая каждый из множителей нулю, мы получаем два значения для k. Первое значение, $k = 0$, нас не интересует: оно означает, что если к числам a, b, c, d ничего не прибавлять, то полученные числа удовлетворяют нашему уравнению. Поэтому мы возьмем лишь второе значение для k:

$$k = \frac{a^2\alpha + b^2\beta + c^2\gamma + d^2\delta}{a\alpha^2 + b\beta^2 + c\gamma^2 + d\delta^2}.$$

Итак, зная две четверки чисел, удовлетворяющих исходному уравнению, можно найти новую четверку: для этого нужно к числам первой четверки прибавить числа второй четверки, умноженные на k, где k имеет написанное выше значение.

Для того чтобы применить этот прием, надо знать две четверки чисел, удовлетворяющих исходному уравнению. Одну такую четверку (3, 4, 5, −6) мы уже знаем. Где взять еще одну четверку? Выход из положения найти очень просто: в качестве второй четверки можно взять числа r, $-r$, s, $-s$, которые, очевидно, удовлетворяют исходному уравнению. Иначе говоря, положим:

$$a = 3, \quad b = 4, \quad c = 5, \quad d = -6,$$
$$\alpha = r, \quad \beta = -r, \quad \gamma = s, \quad \delta = -s.$$

Тогда для k мы получим, как легко видеть, следующее значение:

$$k = -\frac{-7r - 11s}{7r^2 - s^2} = \frac{7r + 11s}{7r^2 - s^2},$$

а числа $a + k\alpha, b + k\beta, c + k\gamma, d + k\delta$ будут соответственно равны

$$\frac{28r^2 + 11rs - 3s^2}{7r^2 - s^2}, \quad \frac{21r^2 - 11rs - 4s^2}{7r^2 - s^2},$$
$$\frac{35r^2 + 7rs + 6s^2}{7r^2 - s^2}, \quad \frac{-42r^2 - 7rs - 5s^2}{7r^2 - s^2}.$$

Согласно сказанному выше, эти четыре выражения удовлетворяют исходному уравнению

$$x^3 + y^3 + z^3 + t^3 = 0.$$

Так как все эти выражения имеют одинаковый знаменатель, то его можно отбросить (т.е. числители этих дробей также удовлетворяют рассматриваемому уравнению). Итак, написанному уравнению удовлетворяют (при любых r и s) следующие числа:

$$x = 28r^2 + 11rs - 3s^2,$$
$$y = 21r^2 - 11rs - 4s^2,$$
$$z = 35r^2 + 7rs + 6s^2,$$
$$t = -42r^2 - 7rs - 5s^2,$$

в чем, конечно, можно убедиться и непосредственно, возведя эти выражения в куб и сложив. Придавая r и s различные целые значения, мы можем получить целый ряд целочисленных решений нашего уравнения. Если при этом получающиеся числа будут иметь общий множитель, то на него можно эти числа разделить. Например, при $r = 1$, $s = 1$ получаем для x, y, z, t следующие значения: 36, 6, 48, −54, или, после сокращения на 6, значения 6, 1, 8, −9. Таким образом.

$$6^3 + 1^3 + 8^3 = 9^3.$$

Вот еще ряд равенств того же типа (получающихся после сокращения на общий множитель):

при $r = 1$, $s = 2$	$38^3 + 73^3 = 17^3 + 76^3,$
при $r = 1$, $s = 3$	$17^3 + 55^3 = 24^3 + 54^3,$
при $r = 1$, $s = 5$	$4^3 + 110^3 = 67^3 + 101^3,$
при $r = 1$, $s = 4$	$8^3 + 53^3 = 29^3 + 50^3,$
при $r = 1$, $s = -1$	$7^3 + 14^3 + 17^3 = 20^3,$
при $r = 1$, $s = -2$	$2^3 + 16^3 = 9^3 + 15^3,$
при $r = 2$, $s = -1$	$29^3 + 34^3 + 44^3 = 53^3,$

. . . .

Заметим, что если в исходной четверке — 3, 4, 5, −6 или в одной из вновь полученных четверок поменять числа местами и применить тот же прием, то получим новую серию решений. Например, взяв четверку 3, 5, 4, –6 (т.е. положив $a = 3$, $b = 5$, $c = 4$, $d = -6$), мы получим для x, y, z, t значения:

$$x = 20r^2 + 10rs - 3s^2,$$
$$y = 12r^2 - 10rs - 5s^2,$$
$$z = 16r^2 + 8rs + 6s^2,$$
$$t = -24r^2 - 8rs - 4s^2.$$

Отсюда при различных r и s получаем ряд новых соотношений:

при $r = 1$, $s = 1$ $9^3 + 10^3 = 1^3 + 12^3$,

при $r = 1$, $s = 3$ $23^3 + 94^3 = 63^3 + 84^3$,

при $r = 1$, $s = 5$ $5^3 + 163^3 + 164^3 = 206^3$,

при $r = 1$, $s = 6$ $7^3 + 54^3 + 57^3 = 70^3$,

при $r = 2$, $s = 1$ $23^3 + 97^3 + 86^3 = 116^3$,

при $r = 1$, $s = -3$ $3^3 + 36^3 + 37^3 = 46^3$,

. . . .

Таким путем можно получить бесчисленное множество решений рассматриваемого уравнения.

Сто тысяч за доказательство теоремы

Одна задача из области неопределенных уравнений приобрела громкую известность, так как за правильное ее решение было завещано целое состояние: 100 000 немецких марок!

Задача состоит в том, чтобы доказать следующее положение, носящее название теоремы, или «великого предложения Ферма»:

Сумма одинаковых степеней двух целых чисел не может быть той же степенью какого-либо третьего целого числа. Исключение составляет лишь вторая степень, для которой это возможно.

Иначе говоря, надо доказать, что уравнение

$$x^n + y^n = z^n$$

неразрешимо в целых числах для $n > 2$.

Поясним сказанное. Мы видели, что уравнения

$$x^2 + y^2 = z^2,$$

$$x^3 + y^3 + z^3 = t^3$$

имеют сколько угодно целочисленных решений. Но попробуйте подыскать три целых положительных числа, для которых было бы выполнено равенство $x^3 + y^3 = z^3$; ваши поиски останутся тщетными.

Тот же неуспех ожидает вас и при подыскании примеров для четвертой, пятой, шестой и т.д. степеней. Это и утверждает «великое предложение Ферма».

Что же требуется от соискателей премии? Они должны доказать это положение для всех тех степеней, для которых оно верно. Дело в том, что теорема

Ферма еще не доказана и висит, так сказать, в воздухе[1].

Величайшие математики трудились над этой проблемой, однако в лучшем случае им удавалось доказать теорему лишь для того или иного отдельного показателя или для групп показателей, необходимо же найти *общее* доказательство для *всякого* целого показателя.

Замечательно, что неуловимое доказательство теоремы Ферма, по-видимому, однажды уже было найдено, но затем вновь утрачено. Автор теоремы, гениальный математик XVII в. Пьер Ферма[2], утверждал, что ее доказательство ему известно. Свое «великое предложение» он записал (как и ряд других теорем из теории чисел) в виде заметки на полях сочинения Диофанта, сопроводив его такой припиской:

«Я нашел поистине удивительное доказательство этого предложения, но здесь мало места, чтобы его привести».

---

[1] «Занимательная алгебра» впервые издана в первой половине XX века. О доказательствах теоремы Ферма смотри в современных публикациях.

[2] Ферма (1601—1665) не был профессионалом-математиком. Юрист по образованию, советник парламента, он занимался математическими изысканиями лишь между делом. Это не помешало ему сделать ряд чрезвычайно важных открытий, которых он, впрочем, не публиковал, а по обычаю той эпохи сообщал в письмах к своим ученым друзьям: к Паскалю, Декарту, Гюйгенсу, Робервалю и др.

Ни в бумагах великого математика, ни в его переписке, нигде вообще в другом месте следов этого доказательства найти не удалось.

Последователям Ферма пришлось идти самостоятельным путем.

Вот результаты этих усилий: Эйлер (1797) доказал теорему Ферма для третьей и четвертой степеней; для пятой степени ее доказал Лежандр (1823), для седьмой[1] — Ламе и Лебег (1840). В 1849 г. Куммер доказал теорему для обширной группы степеней и, между прочим, — для всех показателей, меньших ста. Эти последние работы далеко выходят за пределы той области математики, какая знакома была Ферма, и становится загадочным, как мог последний разыскать общее доказательство своего «великого предложения». Впрочем, возможно, он ошибался.

Интересующимся историей и современным состоянием задачи Ферма можно рекомендовать брошюру А.Я. Хинчина «Великая теорема Ферма». Написанная специалистом, брошюра эта предполагает у читателя лишь элементарные знания из математики.

---

[1] Для составных показателей (кроме 4) особого доказательства не требуется: эти случаи сводятся к случаям с простыми показателями.

ГЛАВА ПЯТАЯ

ШЕСТОЕ МАТЕМАТИЧЕСКОЕ ДЕЙСТВИЕ

Шестое действие

Сложение и умножение имеют по одному обратному действию, которые называются вычитанием и делением. Пятое математическое действие — возведение в степень — имеет два обратных: разыскание основания и разыскание показателя. Разыскание основания есть *шестое* математическое действие и называется извлечением корня. Нахождение показателя — *седьмое* действие — называется логарифмированием. Причину того, что возведение в степень имеет два обратных действия, в то время как сложение и умножение — только по одному, понять нетрудно: оба слагаемых (первое и второе) равноправны, их можно поменять местами; то же верно относительно умножения; однако числа, участвующие в возведении в степень, т.е. основание и показатель степени, неравноправны между собой; переставить их, вообще говоря, нельзя (например, $3^5 \neq 5^3$). Поэто-

174

му разыскание каждого из чисел, участвующих в сложении и умножении, производится одинаковыми приемами, а разыскание основания степени и показателя степени выполняется различным образом.

Шестое действие, извлечение корня, обозначается знаком $\sqrt{}$. Не все знают, что это — видоизменение латинской буквы r, начальной в латинском слове, означающем «корень». Было время (XVI в.), когда знаком корня служила не строчная, а прописная буква R, а рядом с ней ставилась первая буква латинских слов «квадратный» (q) или «кубический» (c), чтобы указать, какой именно корень, требуется извлечь[1]. Например, писали

$$R.q.4352$$

вместо нынешнего обозначения

$$\sqrt{4352} \ .$$

Если прибавить к этому, что в ту эпоху еще не вошли в общее употребление нынешние знаки для плюса и минуса, а вместо них писали буквы $p.$ и $m.$, и что наши скобки заменяли знаками $\lfloor \ \rfloor$, то станет ясно, какой необычный для современного глаза вид должны были иметь тогда алгебраические выражения.

---

[1] В учебнике математики Магницкого, по которому обучались у нас в течение всей первой половины XVIII в., вовсе нет особого знака для действия извлечения корня.

Вот пример из книги старинного математика Бомбелли (1572):

$$R.c. \lfloor R.q. \ 4352p. \ 6 \rfloor m.R.c. \lfloor R.q. 4352m. \ 16 \rfloor.$$

Мы написали бы то же самое иными знаками:

$$\sqrt[3]{\sqrt{4352}+16} - \sqrt[3]{\sqrt{4352}-16}.$$

Кроме обозначения $\sqrt[n]{a}$ теперь употребляется для того же действия еще и другое, $a^{\frac{1}{n}}$, весьма удобное в смысле обобщения: оно наглядно подчеркивает, что каждый корень есть не что иное, как степень, показатель которой — дробное число. Оно предложено было замечательным голландским математиком XVI в. Стевином.

Что больше?

ЗАДАЧА 1

Что больше $\sqrt[5]{5}$ или $\sqrt{2}$?

Эту и следующие задачи требуется решить, *не вычисляя значения корней.*

РЕШЕНИЕ

Возвысив оба выражения в 10-ю степень, получаем:

$$\left(\sqrt[5]{5}\right)^{10} = 5^2 = 25, \ \left(\sqrt{2}\right)^{10} = 2^5 = 32 \ ;$$

так как 32 > 25, то

$$\sqrt{2} > \sqrt[5]{5}\,.$$

ЗАДАЧА 2

Что больше: $\sqrt[4]{4}$ или $\sqrt[7]{7}$?

РЕШЕНИЕ

Возвысив оба выражения в 28-ю степень, получаем:

$$\left(\sqrt[4]{4}\right)^{28} = 4^7 = 2^{14} = 2^7 \cdot 2^7 = 128^2,$$
$$\left(\sqrt[7]{7}\right)^{28} = 7^4 = 7^2 \cdot 7^2 = 49^2.$$

Так как 128 > 49, то и

$$\sqrt[4]{4} > \sqrt[7]{7}\,.$$

ЗАДАЧА 3

Что больше: $\sqrt{7} + \sqrt{10}$ или $\sqrt{3} + \sqrt{19}$?

РЕШЕНИЕ

Возвысив оба выражения в квадрат, получаем:

$$\left(\sqrt{7} + \sqrt{10}\right)^2 = 17 + 2\sqrt{70},$$
$$\left(\sqrt{3} + \sqrt{19}\right)^2 = 22 + 2\sqrt{57}.$$

Уменьшим оба выражения на 17; у нас останется

$$2\sqrt{70} \quad \text{и} \quad 5 + 2\sqrt{57}\,.$$

Возвышаем эти выражения в квадрат. Имеем:

$$280 \text{ и } 253 + 20\sqrt{57}.$$

Отняв по 253, сравниваем

$$27 \text{ и } 20\sqrt{57}.$$

Так как $\sqrt{57}$ больше 2, то $20\sqrt{57} > 40$; следовательно,

$$\sqrt{3} + \sqrt{19} > \sqrt{7} + \sqrt{10}.$$

Решить одним взглядом

ЗАДАЧА

Взгляните внимательнее на уравнение

$$x^{x^3} = 3$$

и скажите, чему равен x.

РЕШЕНИЕ

Каждый, хорошо освоившийся с алгебраическими символами, сообразит, что

$$x = \sqrt[3]{3}.$$

В самом деле, тогда

$$x^3 = \left(\sqrt[3]{3}\right)^3 = 3$$

и, следовательно,

$$x^{x^3} = x^3 = 3,$$

что и требовалось.

Для кого это «решение одним взглядом» является непосильным, тот может облегчить себе поиски неизвестного следующим образом.

Пусть

$$x^3 = y.$$

Тогда

$$x = \sqrt[3]{y},$$

и уравнение получает вид

$$\left(\sqrt[3]{y}\right)^y = 3,$$

или, возводя в куб:

$$y^y = 3^3.$$

Ясно, что $y = 3$ и, следовательно,

$$x = \sqrt[3]{y} = \sqrt[3]{3}.$$

Алгебраические комедии

ЗАДАЧА 1

Шестое математическое действие дает возможность разыгрывать настоящие алгебраические комедии и фарсы на такие сюжеты, как $2 \cdot 2 = 5$, $2 = 3$ и т.п. Юмор подобных математических представлений кроется в том, что ошибка — довольно элементарная — несколько замаскирована и не сразу бросается в глаза. Исполним две пьесы этого комического репертуара из области алгебры.

Первая:

$$2 = 3.$$

На сцене сперва появляется неоспоримое равенство

$$4 - 10 = 9 - 15.$$

В следующем «явлении» к обеим частям равенства прибавляется по равной величине $6\frac{1}{4}$:

$$4 - 10 + 6\frac{1}{4} = 9 - 15 + 6\frac{1}{4}.$$

Дальнейший ход комедии состоит в преобразованиях:

$$2^2 - 2 \cdot 2 \cdot \frac{5}{2} + \left(\frac{5}{2}\right)^2 = 3^2 - 2 \cdot 3 \cdot \frac{5}{2} + \left(\frac{5}{2}\right)^2,$$

$$\left(2 - \frac{5}{2}\right)^2 = \left(3 - \frac{5}{2}\right)^2.$$

Извлекая из обеих частей равенства квадратный корень, получают:

$$2 - \frac{5}{2} = 3 - \frac{5}{2}.$$

Прибавляя по $\frac{5}{2}$ к обеим частям, приходят к нелепому равенству

$$2 = 3.$$

В чем же кроется ошибка?

180

РЕШЕНИЕ

Ошибка проскользнула в следующем заключении: из того, что

$$\left(2 - \frac{5}{2}\right)^2 = \left(3 - \frac{5}{2}\right)^2,$$

был сделан вывод, что

$$2 - \frac{5}{2} = 3 - \frac{5}{2}.$$

Но из того, что квадраты равны, вовсе не следует, что равны первые степени. Ведь $(-5)^2 = 5^2$, но -5 не равно 5. Квадраты могут быть равны и тогда, когда первые степени разнятся знаками. В нашем примере мы имеем именно такой случай:

$$\left(-\frac{1}{2}\right)^2 = \left(\frac{1}{2}\right)^2,$$

но $-\frac{1}{2}$ не равно $\frac{1}{2}$.

ЗАДАЧА 2

Другой алгебраический фарс (рис. 15)

$$2 \cdot 2 = 5$$

разыгрывается по образцу предыдущего и основан на том же

Рис. 15

181

трюке. На сцене появляется не внушающее сомнения равенство

$$16 - 36 = 25 - 45.$$

Прибавляются равные числа:

$$16 - 36 + 20\frac{1}{4} = 25 - 45 + 20\frac{1}{4},$$

и делаются следующие преобразования:

$$4^2 - 2 \cdot 4 \cdot \frac{9}{2} + \left(\frac{9}{2}\right)^2 = 5^2 - 2 \cdot 5 \cdot \frac{9}{2} + \left(\frac{9}{2}\right)^2,$$

$$\left(4 - \frac{9}{2}\right)^2 = \left(5 - \frac{9}{2}\right)^2.$$

Затем с помощью того же незаконного заключения переходят к финалу:

$$4 - \frac{9}{2} = 5 - \frac{9}{2},$$

$$4 = 5,$$

$$2 \cdot 2 = 5.$$

Эти комические случаи должны предостеречь малоопытного математика от неосмотрительных операций с уравнениями, содержащими неизвестное под знаком корня.

ГЛАВА ШЕСТАЯ

УРАВНЕНИЯ
ВТОРОЙ СТЕПЕНИ

Рукопожатия

ЗАДАЧА

Участники заседания обменялись рукопожатиями, и кто-то подсчитал, что всех рукопожатий было 66. Сколько человек явилось на заседание?

РЕШЕНИЕ

Задача решается весьма просто алгебраически. Каждый из x участников пожал $x-1$ руку. Значит, всех рукопожатий должно было быть $x(x-1)$; но надо принять во внимание, что когда Иванов пожимает руку Петрова, то и Петров пожимает руку Иванова; эти два рукопожатия следует считать за одно. Поэтому число пересчитанных рукопожатий вдвое меньше, нежели $x(x-1)$. Имеем уравнение

$$\frac{x(x-1)}{2} = 66,$$

или, после преобразований,

$$x^2 - x - 132 = 0,$$

откуда

$$x = \frac{1 \pm \sqrt{1 + 528}}{2},$$
$$x_1 = 12, \; x_2 = -11.$$

Так как отрицательное решение (–11 человек) в данном случае лишено реального смысла, мы его отбрасываем и сохраняем только первый корень: в заседании участвовало 12 человек.

Пчелиный рой

ЗАДАЧА

В Древней Индии распространен был своеобразный вид спорта — публичное соревнование в решении головоломных задач. Индусские математические руководства имели отчасти целью служить пособием для подобных состязаний на первенство в умственном спорте. «По изложенным здесь правилам, — пишет составитель одного из таких учебников, — мудрый может придумать тысячу других задач. Как солнце блеском своим затмевает звезды, так и ученый человек затмит славу другого в народных собраниях, предлагая и решая алгебраические задачи». В подлиннике это высказано поэтичнее, так как вся книга написана стихами. Задачи тоже облекались в форму стихотворений. Приведем одну из них в прозаической передаче.

Пчелы в числе, равном квадратному корню из половины всего их роя, сели на куст жасмина, оставив позади себя $\frac{8}{9}$ роя. И только одна пчелка из того же роя кружится возле лотоса, привлеченная жужжанием подруги, неосторожно попавшей в западню сладко пахнущего цветка. Сколько всего было пчел в рое?

РЕШЕНИЕ

Если обозначить искомую численность роя через x, то уравнение имеет вид

$$\sqrt{\frac{x}{2}} + \frac{8}{9}x + 2 = x.$$

Мы можем придать ему более простой вид, введя вспомогательное неизвестное

$$y = \sqrt{\frac{x}{2}}.$$

Тогда $x = 2y^2$, и уравнение получится такое:

$$y + \frac{16y^2}{9} + 2 = 2y^2, \quad \text{или} \quad 2y^2 - 9y - 18 = 0.$$

Решив его, получаем два значения для y:

$$y_1 = 6, \ y_2 = -\frac{3}{2}.$$

Соответствующие значения для x:

$$x_1 = 72, \; x_2 = 4,5.$$

Так как число пчел должно быть целое и положительное, то удовлетворяет задаче только первый корень: рой состоял из 72 пчел. Проверим:

$$\sqrt{\frac{72}{2}} + \frac{8}{9} \cdot 72 + 2 = 6 + 64 + 2 = 72.$$

Стая обезьян

ЗАДАЧА

Другую индусскую задачу я имею возможность привести в стихотворной передаче, так как ее перевел автор превосходной книжечки «Кто изобрел алгебру?» В.И. Лебедев:

> На две партии разбившись,
> Забавлялись обезьяны.
> Часть восьмая их в квадрате
> В роще весело резвилась;
> Криком радостным двенадцать
> Воздух свежий оглашали.
> Вместе сколько, ты мне скажешь,
> Обезьян там было в роще?

РЕШЕНИЕ

Если общая численность стаи x, то

$$\left(\frac{x}{8} \right)^2 + 12 = x,$$

откуда

$$x_1 = 48, \ x_2 = 16.$$

Задача имеет два положительных решения: в стае могло бы быть или 48 обезьян, или 16. Оба ответа вполне удовлетворяют задаче.

Предусмотрительность уравнений

В рассмотренных случаях полученными двумя решениями уравнений мы распоряжались различно в зависимости от условия задачи. В первом случае мы отбросили отрицательный корень как не отвечающий содержанию задачи, во втором — отказались от дробного и отрицательного корня, в третьей задаче, напротив, воспользовались обоими корнями. Существование второго решения является иной раз полной неожиданностью не только для решившего задачу, но даже и для придумавшего ее. Приведем пример, когда уравнение оказывается словно предусмотрительнее того, кто его составил.

Мяч брошен вверх со скоростью 25 м в секунду. Через сколько секунд он будет на высоте 20 м над землей?

РЕШЕНИЕ

Для тел, брошенных вверх при отсутствии сопротивления воздуха, механика устанавливает следующее соотношение между высотой подъема тела над землей (h), начальной скоростью (v), ускорением тяжести (g) и временем (t):

$$h = vt - \frac{gt^2}{2}.$$

Сопротивлением воздуха мы можем в данном случае пренебречь, так как при незначительных скоростях оно не столь велико. Ради упрощения расчетов примем g равным не 9,8 м, а 10 м (ошибка всего в 2%). Подставив в приведенную формулу значения h, v и g, получаем уравнение

$$20 = 25t - \frac{10t^2}{2},$$

а после упрощения

$$t^2 - 5t + 4 = 0.$$

Решив уравнение, имеем:

$$t_1 = 1 \quad \text{и} \quad t_2 = 4.$$

Мяч будет на высоте 20 м дважды: через 1 секунду и через 4 секунды.

Это может, пожалуй, показаться невероятным, и, не вдумавшись, мы готовы второе решение отбросить. Но так поступить было бы ошибкой! Второе решение имеет полный смысл; мяч должен действительно дважды побывать на высоте 20 м: раз при подъеме и вторично при обратном падении. Легко рассчитать, что мяч при начальной скорости 25 м в секунду должен лететь вверх 2,5 секунды и залететь на высоту 31,25 м. Достигнув через 1 секунду высоты 20 м, мяч будет подниматься еще 1,5 секунды, затем столько же времени опускаться вниз снова до уровня 20 м и, спустя секунду, достигнет земли.

Задача Эйлера

Стендаль в «Автобиографии» рассказывает следующее о годах своего учения:

«Я нашел у него (учителя математики) Эйлера и его задачу о числе яиц, которые крестьянка несла на рынок... Это было для меня открытием. Я понял, что́ значит пользоваться орудием, называемым алгеброй. Но, черт возьми, никто мне об этом не говорил...»

Вот эта задача из «Введения в алгебру» Эйлера, произведшая на ум молодого Стендаля столь сильное впечатление.

Две крестьянки принесли на рынок вместе 100 яиц, одна больше, нежели другая; обе выручили одинаковые суммы. Первая сказала тогда второй: «Будь у меня твои яйца, я выручила бы 15 крейцеров». Вторая ответила: «А будь твои яйца у меня, я бы выручила за них $6\frac{2}{3}$ крейцера». Сколько яиц было у каждой?

РЕШЕНИЕ

Пусть у первой крестьянки x яиц, тогда у второй $100 - x$. Если бы первая имела $100 - x$ яиц, она выручила бы, мы знаем, 15 крейцеров. Значит, первая крестьянка продавала яйца по цене

$$\frac{15}{100 - x}$$

за штуку.

Таким же образом находим, что вторая крестьянка продавала яйца по цене

$$6\frac{2}{3} : x = \frac{20}{3x}$$

за штуку.

Теперь определяется действительная выручка каждой крестьянки:

первой: $x \cdot \dfrac{15}{100 - x} = \dfrac{15x}{100 - x}$,

второй: $(100 - x) \cdot \dfrac{20}{3x} = \dfrac{20 \cdot (100 - x)}{3x}$.

Так как выручки обеих одинаковы, то

$$\frac{15x}{100 - x} = \frac{20 \cdot (100 - x)}{3x}.$$

После преобразований имеем:

$$x^2 + 160x - 8000 = 0,$$

откуда

$$x_1 = 40, \quad x_2 = -200.$$

Отрицательный корень в данном случае не имеет смысла; у задачи — только одно решение: первая крестьянка принесла 40 яиц и, значит, вторая — 60.

Задача может быть решена еще другим, более кратким способом. Этот способ гораздо остроумнее, но зато и отыскать его значительно труднее.

Предположим, что вторая крестьянка имела в k раз больше яиц, чем первая. Выручили они одинаковые суммы; это значит, что первая крестьянка продавала свои яйца в k раз дороже, чем вторая. Если бы перед торговлей они поменялись яйцами, то первая крестьянка имела бы в k раз больше яиц, чем вторая, и продавала бы их в k раз дороже. Это значит, что она выручила бы в k^2 больше денег, чем вторая. Следовательно, имеем:

$$k^2 = 15 : 6\frac{2}{3} = \frac{45}{20} = \frac{9}{4};$$

отсюда

$$k = \frac{3}{2}.$$

Теперь остается 100 яиц разделить в отношении 3 : 2. Легко находим, что первая крестьянка имела 40, а вторая 60 яиц.

Громкоговорители

ЗАДАЧА

На площади установлено 5 громкоговорителей, разбитых на две группы: в одной 2, в другой 3 аппарата. Расстояние между группами 50 м. Где надо стать, чтобы звуки обеих групп доносились с одинаковой силой?

РЕШЕНИЕ

Если расстояние искомой точки от меньшей группы обозначим через x, то расстояние ее от большей группы выразится через $50 - x$ (рис. 16). Зная, что сила звука ослабевает пропорционально квадрату расстояния, имеем уравнение

$$\frac{2}{3} = \frac{x^2}{(50 - x)^2},$$

которое после упрощения приводится к виду

$$x^2 + 200x - 5000 = 0.$$

Решив его, получаем два корня:

$$x_1 = 22,5,$$
$$x_2 = -222,5.$$

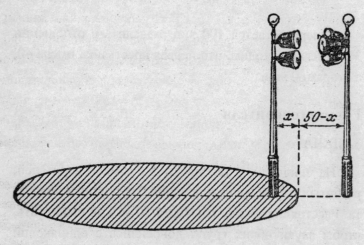

Рис. 16

Положительный корень прямо отвечает на вопрос задачи: точка равной слышимости расположена в 22,5 м от группы из двух громкоговорителей и, следовательно, в 27,5 м от группы трех аппаратов.

Но что означает отрицательный корень уравнения? Имеет ли он смысл?

Безусловно. Знак минус означает, что вторая точка равной слышимости лежит в направлении, *противоположном* тому, которое принято было за положительное при составлении уравнения.

Отложив от местонахождения двух аппаратов в требуемом направлении 222,5 м, найдем точку, куда звуки обеих групп громкоговорителей доносятся с одинаковой силой. От группы из трех аппаратов точка эта отстоит в 222,5 м + 50 м = 272,5 м.

Итак, нами разысканы две точки равной слышимости — из тех, что лежат на прямой, соединяющей источники звука. Других таких точек на этой линии нет, но они имеются вне ее. Можно доказать, что геометрическое место точек, удовлетворяющих требованию нашей задачи, есть окружность, проведенная через обе сейчас найденные точки, как через концы диаметра. Окружность эта ограничивает, как видим, довольно обширный участок (заштрихованный на чертеже), внутри которого слышимость группы двух громкоговорителей пересиливает слышимость группы трех аппаратов, а за пределами этого круга наблюдается обратное явление.

Алгебра лунного перелета

Точно таким же способом, каким мы нашли точки равной слышимости двух систем громкоговорителей, можно найти и точки равного притяжения космической ракеты двумя небесными телами — Землей и Луной. Разыщем эти точки.

По закону Ньютона, сила взаимного притяжения двух тел прямо пропорциональна произведению притягивающихся масс и обратно пропорциональна квадрату расстояния между ними. Если масса Земли M, а расстояние ракеты от нее x, то сила, с какой Земля притягивает каждый грамм массы ракеты, выразится через

$$\frac{Mk}{x^2},$$

где k — сила взаимного притяжения одного грамма одним граммом на расстоянии в 1 см.

Сила, с какой Луна притягивает каждый грамм ракеты в той же точке, равна

$$\frac{mk}{(l-x)^2},$$

где m — масса Луны, а l — ее расстояние от Земли (ракета предполагается находящейся между Землей и Луной, на прямой линии, соединяющей их центры). Задача требует, чтобы

$$\frac{Mk}{x^2} = \frac{mk}{(l-x)^2},$$

или

$$\frac{M}{m} = \frac{x^2}{l^2 - 2lx + x^2}.$$

Отношение $\frac{M}{m}$, как известно из астрономии, приближенно равно 81,5; подставив, имеем:

$$\frac{x^2}{l^2 - 2lx + x^2} = 81,5,$$

откуда

$$80,5x^2 - 163,0lx + 81,5l^2 = 0.$$

Решив уравнение относительно x, получаем:

$$x_1 = 0,9l, \quad x_2 = 1,12l.$$

Как и в задаче о громкоговорителях, мы приходим к заключению, что на линии Земля—Луна существуют две искомые точки — две точки, где ракета должна одинаково притягиваться обоими светилами; одна на 0,9 расстояния между ними, считая от центра Земли, другая — на 1,12 того же расстояния. Так как расстояние l между центрами Земли и Луны $\approx 384\,000$ км, то одна из искомых точек отстоит от центра Земли на $346\,000$ км, другая — на $430\,000$ км.

Но мы знаем (см. предыдущую задачу), что тем же свойством обладают и все точки окружности, проходящей через найденные две точки как через концы диаметра. Если будем вращать эту окружность около линии, соединяющей центры Земли и Луны, то она опишет шаровую поверхность, все точки которой будут удовлетворять требованиям задачи.

Диаметр этого шара, называемого *сферой притяжения* (рис. 17) Луны, равен

$$1,12l - 0,9l = 0,22l \approx 84\,000 \text{ км.}$$

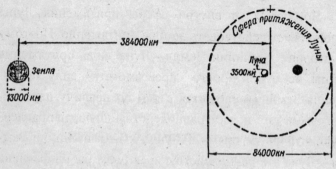

Рис. 17

Распространено ошибочное мнение, будто бы для попадания ракетой в Луну достаточно попасть в ее сферу притяжения. На первый взгляд кажется, что если ракета очутится внутри сферы притяжения (обладая не слишком значительной скоростью), то она неизбежно должна будет упасть на поверхность Луны, так как сила лунного притяжения в этой области «превозмогает» силу притяжения Земли. Если бы это было так, то задача полета к Луне сильно облегчилась бы, так как надо было бы целиться не в саму Луну, поперечник которой виден на небе под углом $1/2°$ а в шар диаметром 84 000 км, угловой размер которого равняется 12°.

196

Однако нетрудно показать ошибочность подобных рассуждений.

Допустим, что запущенная с Земли ракета, непрерывно теряющая свою скорость из-за земного притяжения, оказалась внутри сферы притяжения Луны, имея нулевую скорость. Упадет ли она теперь на Луну? Ни в коем случае!

Во-первых, и внутри сферы притяжения Луны продолжает действовать земное притяжение. Поэтому в стороне от линии Земля—Луна сила притяжения Луны не будет просто «превозмогать» силу притяжения Земли, а сложится с ней по правилу параллелограмма сил и даст равнодействующую, направленную отнюдь не прямо к Луне (только на линии Земля—Луна эта равнодействующая была бы направлена прямо к центру Луны).

Во-вторых (и это самое главное), сама Луна не является неподвижной целью, и если мы хотим знать, как будет двигаться по отношению к ней ракета (не будет ли она на нее «падать»), то нужно учесть скорость ракеты относительно Луны. А эта скорость вовсе не равна нулю, так как сама Луна движется вокруг Земли со скоростью 1 км/с. Поэтому скорость движения ракеты относительно Луны слишком велика для того, чтобы Луна могла притянуть к себе ракету или хотя бы удержать ее в своей сфере притяжения в качестве искусственного спутника.

Фактически притяжение Луны начинает оказывать существенное влияние на движение ракеты еще до того, как ракета приблизится к сфере притяжения Луны. В небесной баллистике принято учитывать притяжение Луны с момента, когда ракета окажется внутри так называемой сферы действия Луны радиусом 66 000 км. При этом уже можно рассматривать движение ракеты относительно Луны, полностью забывая о земном притяжении, но точно учитывая ту скорость (относительно Луны), с какой ракета входит в сферу действия. Естественно поэтому, что ракету приходится посылать к Луне по такой траектории, чтобы скорость (относительно Луны) входа в сферу действия была направлена прямо на Луну. Для этого сфера действия Луны должна набегать на ракету, движущуюся ей наперерез. Как видим, попадание в Луну оказывается вовсе не столь простым делом, как попадание в шар диаметром 84 000 км.

«Трудная задача»

Картина Богданова-Бельского «Трудная задача» (рис. 18) известна многим, но мало кто из видевших эту картину вникал в содержание той «трудной задачи», которая на ней изображена. Состоит она в том, чтобы устным счетом быстро найти результат вычисления:

$$\frac{10^2 + 11^2 + 12^2 + 13^2 + 14^2}{365}$$

Задача в самом деле нелегкая. С нею, однако, хорошо справлялись ученики того учителя, который с

$$10^2 + 11^2 + 12^2 + 13^2 + 14^2$$
$$365$$

Рис. 18

сохранением портретного сходства изображен на картине, именно С.А. Рачинского, профессора естествен-
ных наук, покинувшего университетскую кафедру,
чтобы сделаться рядовым учителем сельской школы.
Талантливый педагог культивировал в своей школе

устный счет, основанный на виртуозном использовании свойств чисел. Числа 10, 11, 12, 13 и 14 обладают любопытной особенностью: $10^2 + 11^2 + 12^2 = 13^2 + 14^2$.

Так как 100 + 121 + 144 = 365, то легко рассчитать в уме, что воспроизведенное на картине выражение равно 2.

Алгебра дает нам средство поставить вопрос об этой интересной особенности ряда чисел более широко: единственный ли это ряд из пяти последовательных чисел, сумма квадратов первых трех из которых равна сумме квадратов двух последних?

РЕШЕНИЕ

Обозначив первое из искомых чисел через x, имеем уравнение

$$x^2 + (x+1)^2 + (x+2)^2 = (x+3)^2 + (x+4)^2.$$

Удобнее, однако, обозначить через x не первое, а *второе* из искомых чисел. Тогда уравнение будет иметь более простой вид

$$(x-1)^2 + x^2 + (x+1)^2 = (x+2)^2 + (x+3)^2.$$

Раскрыв скобки и сделав упрощения, получаем:

$$x^2 - 10x - 11 = 0.$$

откуда

$$x = 5 \pm \sqrt{25+11},\ x_1 = 11,\ x_2 = -1.$$

Существуют, следовательно, *два* ряда чисел, обладающих требуемым свойством: ряд Рачинского

$$10, 11, 12, 13, 14$$

и ряд

$$-2, -1, 0, 1, 2.$$

В самом деле,

$$(-2)^2 + (-1)^2 + 0^2 = 1^2 + 2^2.$$

Какие числа?

ЗАДАЧА

Найти три последовательных числа, отличающихся тем свойством, что квадрат среднего на 1 больше произведения двух остальных.

РЕШЕНИЕ

Если первое из искомых чисел x, то уравнение имеет вид

$$(x + 1)^2 = x(x + 2) + 1.$$

Раскрыв скобки, получаем равенство

$$x^2 + 2x + 1 = x^2 + 2x + 1,$$

из которого нельзя определить величину x. Это показывает, что составленное нами равенство есть *тождество*; оно справедливо при *любом* значении входящей в него буквы, а не при *некоторых* лишь, как в случае уравнения. Значит, *всякие* три последовательных числа обладают требуемым свойством. В самом деле, возьмем наугад числа

$$17, 18, 19.$$

Мы убеждаемся, что

$$18^2 - 17 \cdot 19 = 324 - 323 = 1.$$

Необходимость такого соотношения выступает нагляднее, если обозначить через x второе число. Тогда получим равенство

$$x^2 - 1 = (x + 1)(x - 1),$$

т.е. очевидное тождество.

ГЛАВА СЕДЬМАЯ

НАИБОЛЬШИЕ И НАИМЕНЬШИЕ ЗНАЧЕНИЯ

Помещаемые в этой главе задачи принадлежат к весьма интересному роду задач на разыскание наибольшего или наименьшего значения некоторой величины. Они могут быть решены различными приемами, один из которых мы сейчас покажем.

Русский математик П.Л. Чебышев в своей работе «Черчение географических карт» писал, что особенную важность имеют те методы науки, которые позволяют решать задачу, общую для всей практической деятельности человека: как располагать средствами своими для достижения по возможности большей выгоды.

Два поезда

ЗАДАЧА

Два железнодорожных пути скрещиваются под прямым углом. К месту скрещения одновременно мчатся по этим путям два поезда: один со станции, находящейся в 40 км от скрещения, другой со станции в 50 км от того же места скрещения. Первый делает в минуту 800 м, второй — 600 м.

Через сколько минут, считая с момента отправления, паровозы были в наименьшем взаимном расстоянии? И как велико это расстояние?

РЕШЕНИЕ

Начертим схему движения поездов нашей задачи. Пусть прямые *AB* и *CD* — скрещивающиеся пути (рис. 19). Станция *B* расположена в 40 км от точки скрещения *O*, станция *D* — в 50 км от нее. Предположим, что спустя *x* минут паровозы будут в кратчайшем взаимном расстоянии друг от друга $MN = m$. Поезд, вышедший из *B*, успел к этому моменту пройти путь $BM = 0{,}8x$, так как за минуту он проходит 800 м = 0,8 км. Следовательно, $OM = 40 - 0{,}8x$. Точно так же найдем, что $ON = 50 - 0{,}6x$. По теореме Пифагора

$$MN = m = \sqrt{\overline{OM}^2 + \overline{ON}^2} = \sqrt{(40 - 0{,}8x)^2 + (50 - 0{,}6x)^2}\,.$$

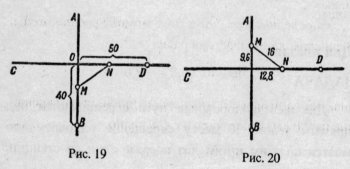

Рис. 19   Рис. 20

Возвысив в квадрат обе части уравнения

$$m = \sqrt{(40 - 0,8x)^2 + (50 - 0,6x)^2}$$

и сделав упрощения, получаем:

$$x^2 - 124x + 4100 - m^2 = 0.$$

Решив это уравнение относительно x, имеем:

$$x = 62 \pm \sqrt{m^2 - 256}.$$

Так как x — число протекших минут — не может быть мнимым, то $m^2 - 256$ должно быть величиной положительной или в крайнем случае равняться нулю. Последнее соответствует *наименьшему* возможному значению m, и тогда

$$m^2 = 256, \quad \text{т.е.} \quad m = 16.$$

Очевидно, что m меньше 16 быть не может, иначе x становится мнимым. А если $m^2 - 256 = 0$, то $x = 62$.

Итак, паровозы окажутся всего ближе друг к другу через 62 мин., и взаимное их удаление тогда будет 16 км.

Определим, как они в этот момент расположены. Вычислим длину OM; она равна

$$40 - 62 \cdot 0,8 = -9,6.$$

Знак минус означает, что паровоз пройдет за скрещение на 9,6 км. Расстояние же ON равно

$$50 - 62 \cdot 0,6 = 12,8,$$

т.е. второй паровоз не дойдет до скрещения на 12,8 км. Расположение паровозов показано на рис. 20. Как видим, оно вовсе не то, какое мы представляли себе до решения задачи. Уравнение оказалось достаточно терпимым и, несмотря на неправильную схему, дало правильное решение. Нетрудно понять, откуда эта терпимость: она обусловлена алгебраическими правилами знаков.

Где устроить полустанок?

ЗАДАЧА

В стороне от прямолинейного участка железнодорожного пути, в 20 км от него, лежит селение B (рис. 21). Где надо устроить полустанок C, чтобы проезд от A до B по железной дороге AC и по шоссе CB отнимал возможно меньше времени? Скорость движения по железной дороге 0,8, а по шоссе 0,2 километра в минуту.

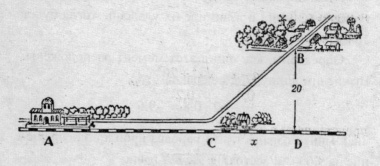

Рис. 21

РЕШЕНИЕ

Обозначим расстояние AD (от A до основания перпендикуляра BD к AD) через a, CD через x. Тогда $AC = AD - CD = a - x$, а $CB = \sqrt{CD^2 + BD^2} = \sqrt{x^2 + 20^2}$. Время, в течение которого поезд проходит путь AC, равно

$$\frac{AC}{0{,}8} = \frac{a - x}{0{,}8}.$$

Время прохождения пути CB по шоссе равно

$$\frac{CB}{0{,}2} = \frac{\sqrt{x^2 + 20^2}}{0{,}2}.$$

Общая продолжительность переезда из A в B равна

$$\frac{a - x}{0{,}8} + \frac{\sqrt{x^2 + 20^2}}{0{,}2}.$$

Эта сумма, которую обозначим через m, должна быть наименьшей.

Уравнение

$$\frac{a - x}{0{,}8} + \frac{\sqrt{x^2 + 20^2}}{0{,}2} = m$$

представляем в виде

$$-\frac{x}{0{,}8} + \frac{\sqrt{x^2 + 20^2}}{0{,}2} = m - \frac{a}{0{,}8}.$$

Умножив на 0,8, имеем:

$$-x + 4\sqrt{x^2 + 20^2} = 0{,}8m - a.$$

Обозначив $0{,}8m - a$ через k и освободив уравнение от радикала, получаем квадратное уравнение

$$15x^2 - 2kx + 6400 - k^2 = 0,$$

откуда

$$x = \frac{k \pm \sqrt{16k^2 - 96000}}{15}.$$

Так как $k = 0{,}8m - a$, то при наименьшем значении m достигает наименьшей величины и k, и обратно[1]. Но чтобы x было действительным, $16k^2$ должно быть не меньше 96 000. Значит, наименьшая величина для $16k^2$ есть 96 000. Поэтому m становится наименьшим, когда

$$16k^2 = 96000,$$

откуда

$$k = \sqrt{6000}$$

и, следовательно,

$$x = \frac{k \pm 0}{15} = \frac{\sqrt{6000}}{15} \approx 5{,}16.$$

---

[1] Следует иметь в виду, что $k > 0$, так как

$$0{,}8m = a - x + 4\sqrt{x^2 + 20^2} > a - x + x = a.$$

Полустанок должен быть устроен приблизительно в 5 км от точки D, *какова бы ни была длина* $a = AD$.

Но, разумеется, наше решение имеет смысл только для случаев, когда $x < a$, так как, составляя уравнение, мы считали выражение $a - x$ числом положительным.

Если $x = a \approx 5{,}16$, то полустанка вообще строить не надо; придется вести шоссе прямо на станцию. Так же нужно поступать и в случаях, когда расстояние a короче 5,16 км.

На этот раз мы оказываемся предусмотрительнее, нежели уравнение. Если бы мы слепо доверились уравнению, нам пришлось бы в рассматриваемом случае построить полустанок за станцией, что было бы явной нелепостью: в этом случае $x > a$ и потому время

$$\frac{a - x}{0{,}8},$$

в течение которого нужно ехать по железной дороге, отрицательно. Случай поучительный, показывающий, что при пользовании математическим орудием надо с должной осмотрительностью относиться к получаемым результатам, помня, что они могут потерять реальный смысл, если не выполнены предпосылки, на которых основывалось применение нашего математического орудия.

Как провести шоссе?

Из приречного города A надо направлять грузы в пункт B, расположенный на a километров ниже по реке и в d километрах от берега (рис. 22). Как провести шоссе от B к реке, чтобы провоз грузов из A в B обходился возможно дешевле, если провозная плата с тонно-километра по реке вдвое меньше, чем по шоссе?

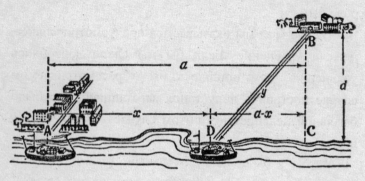

Рис. 22

РЕШЕНИЕ

Обозначим расстояние AD через x и длину DB шоссе — через y: по предположению, длина AC равна a и длина BC равна d.

Так как провоз по шоссе вдвое дороже, чем по реке, то сумма

$$x + 2y$$

должна быть, согласно требованию задачи, наименьшая. Обозначим это наименьшее значение через m.

Имеем уравнение

$$x + 2y = m.$$

Но $x = a - DC$, а $DC = \sqrt{y^2 - d^2}$; наше уравнение получает вид

$$a - \sqrt{y^2 - d^2} + 2y = m,$$

или по освобождении от радикала:

$$3y^2 - 4 \cdot (m-a)y + (m-a)^2 + d^2 = 0.$$

Решаем его:

$$y = \frac{2}{3}(m-a) \pm \frac{\sqrt{(m-a)^2 - 3d^2}}{3}.$$

Чтобы y было действительным, $(m-a)^2$ должно быть не меньше $3d^2$. Наименьшее значение $(m-a)^2$ равно $3d^2$, и тогда

$$m - a = d\sqrt{3}, \; y = \frac{2 \cdot (m-a) + 0}{3} = \frac{2d\sqrt{3}}{3},$$

$\sin \angle BDC = d : y$, т.е.

$$\sin \angle BDC = \frac{d}{y} = d : \frac{2d\sqrt{3}}{3} = \frac{\sqrt{3}}{2}.$$

Но угол, синус которого равен $\frac{\sqrt{3}}{2}$, равен 60°.

Значит, шоссе надо провести под углом в 60° к реке, каково бы ни было расстояние AC.

Здесь наталкиваемся снова на ту же особенность, с которой мы встретились в предыдущей задаче. Решение имеет смысл только при определенном условии. Если пункт расположен так, что шоссе, проведенное под углом в 60° к реке, пройдет по ту сторону города A, то решение неприложимо; в таком случае надо непосредственно связать пункт B с городом A шоссе, вовсе не пользуясь рекой для перевозки.

Когда произведение наибольшее?

Для решения многих задач «на максимум и минимум», т.е. на разыскание наибольшего и наименьшего значений переменной величины, можно успешно пользоваться одной алгебраической теоремой, с которой мы сейчас познакомимся. Рассмотрим следующую задачу.

На какие две части надо разбить данное число, чтобы произведение их было наибольшим?

РЕШЕНИЕ

Пусть данное число a. Тогда части, на которые разбито число a, можно обозначить через

$$\frac{a}{2} + x \quad \text{и} \quad \frac{a}{2} - x;$$

число x показывает, на какую величину эти части отличаются от половины числа a. Произведение обеих частей равно

$$\left(\frac{a}{2}+x\right)\left(\frac{a}{2}-x\right)=\frac{a^2}{4}-x^2.$$

Ясно, что произведение взятых частей будет увеличиваться при уменьшении x, т.е. при уменьшении разности между этими частями. Наибольшим произведение будет при $x = 0$, т.е. в случае, когда обе части равны $\frac{a}{2}$.

Итак, число надо разделить *пополам*: произведение двух чисел, сумма которых неизменна, будет наибольшим тогда, когда эти числа равны между собой.

Рассмотрим тот же вопрос для *трех* чисел.

На какие три части надо разбить данное число, чтобы произведение их было наибольшим?

РЕШЕНИЕ

При решении этой задачи будем опираться на предыдущую.

Пусть число a разбито на три части. Предположим сначала, что ни одна из частей не равна $\frac{a}{3}$. Тогда среди них найдется часть, бо́льшая $\frac{a}{3}$ (все три не могут быть меньше $\frac{a}{3}$); обозначим ее через

$$\frac{a}{3}+x.$$

Точно так же среди них найдется часть, меньшая $\dfrac{a}{3}$; обозначим ее через

$$\frac{a}{3} - y.$$

Числа x и y положительны. Третья часть будет, очевидно, равна

$$\frac{a}{3} + y - x.$$

Числа $\dfrac{a}{3}$ и $\dfrac{a}{3} + x - y$ имеют ту же сумму, что и первые две части числа a, а разность между ними, т.е. $x - y$, меньше, чем разность между первыми двумя частями, которая была равна $x + y$. Как мы знаем из решения предыдущей задачи, отсюда следует, что произведение

$$\frac{a}{3} \cdot \left(\frac{a}{3} + x - y \right),$$

больше, чем произведение первых двух частей числа a.

Итак, если первые две части числа a заменить числами

$$\frac{a}{3} \text{ и } \frac{a}{3} + x - y,$$

а третью оставить без изменения, то произведение увеличится.

Пусть теперь одна из частей уже равна $\frac{a}{3}$. Тогда две другие имеют вид

$$\frac{a}{3}+z \quad \text{и} \quad \frac{a}{3}-z.$$

Если мы эти две последние части сделаем равными $\frac{a}{3}$ (отчего сумма их не изменится), то произведение снова увеличится и станет равным $\frac{a}{3}\cdot\frac{a}{3}\cdot\frac{a}{3}=\frac{a^3}{27}$.

Итак, если число a разбито на 3 части, не равные между собой, то произведение этих частей меньше чем $\frac{a^3}{27}$, т.е. чем произведение трех равных сомножителей, в сумме составляющих a.

Подобным же образом можно доказать эту теорему и для *четырех* множителей, для *пяти* и т.д.

Рассмотрим теперь более общий случай.

Найти, при каких значениях x и y выражение $x^p y^q$ наибольшее, если $x + y = a$.

РЕШЕНИЕ

Надо найти, при каком значении x выражение

$$x^p(a-x)^q$$

достигает наибольшей величины.

215

Умножим это выражение на число $\dfrac{1}{p^p q^q}$. Получим новое выражение

$$\frac{x^p}{p^p}\frac{(a-x)^q}{q^q},$$

которое, очевидно, достигает наибольшей величины тогда же, когда и первоначальное.

Представим полученное сейчас выражение в виде

$$\underbrace{\frac{x}{p}\cdot\frac{x}{p}\cdot\frac{x}{p}\cdot\frac{x}{p}\cdots}_{p\ \text{раз}}\underbrace{\frac{a-x}{q}\cdot\frac{a-x}{q}\cdot\frac{a-x}{q}\cdots}_{q\ \text{раз}}$$

Сумма всех множителей этого выражения равна

$$\underbrace{\frac{x}{p}+\frac{x}{p}+\frac{x}{p}+\frac{x}{p}+\ldots}_{p\ \text{раз}}+\underbrace{\frac{a-x}{q}+\frac{a-x}{q}+\frac{a-x}{q}+\ldots}_{q\ \text{раз}}=$$

$$=\frac{px}{p}+\frac{q(a-x)}{q}=x+a-x=a,$$

т.е. величине постоянной.

На основании ранее доказанного (см. предыдущие две задачи) заключаем, что произведение

$$\frac{x}{p}\cdot\frac{x}{p}\cdot\frac{x}{p}\cdot\frac{x}{p}\cdots\frac{a-x}{q}\cdot\frac{a-x}{q}\cdot\frac{a-x}{q}\cdots$$

достигает максимума при равенстве всех его отдельных множителей, т.е. когда

$$\frac{x}{p} = \frac{a-x}{q}.$$

Зная, что $a - x = y$, получаем, переставив члены, пропорцию

$$\frac{x}{p} = \frac{p}{q}.$$

Итак, произведение $x^p y^q$ при постоянстве суммы $x + y$ достигает наибольшей величины тогда, когда

$$x : y = p : q.$$

Таким же образом можно доказать, что произведения

$$x^p y^q z^r, \quad x^p y^q z^r t' \quad \text{и т.п.}$$

при постоянстве сумм $x + y + z$, $x + y + z + t$ и т.д. достигают наибольшей величины тогда, когда

$$x : y : z = p : q : r, \quad x : y : z : t = p : q : r : u \quad \text{и т.д.}$$

Когда сумма наименьшая?

Читатель, желающий испытать свои силы на доказательстве полезных алгебраических теорем, пусть докажет сам следующие положения.

1. Сумма двух чисел, произведение которых неизменно, становится наименьшей, когда эти числа равны.

Например, для произведения 36: $4 + 9 = 13$, $3 + 12 = 15$, $2 + 18 = 20$, $1 + 36 = 37$ и, наконец, $6 + 6 = 12$.

2. Сумма нескольких чисел, произведение которых неизменно, становится наименьшей, когда эти числа равны.

Например, для произведения 216: $3 + 12 + 6 = 21$, $2 + 18 + 6 = 26$, $9 + 6 + 4 = 19$,   между   тем   как $6 + 6 + 6 = 18$.

На ряде примеров покажем, как применяются на практике эти теоремы.

Брус наибольшего объема

ЗАДАЧА

Из цилиндрического бревна надо выпилить прямоугольный брус наибольшего объема. Какой формы должно быть его сечение (рис. 23)?

Рис. 23

РЕШЕНИЕ

Если стороны прямоугольного сечения x и y, то по теореме Пифагора

$$x^2 + y^2 = d^2,$$

218

где d — диаметр бревна. Объем бруса наибольший, когда площадь его сечения наибольшая, т.е. когда xy достигает наибольшей величины. Но если xy наибольшее, то наибольшим будет и произведение x^2y^2. Так как сумма $x^2 + y^2$ неизменна, то, по доказанному ранее, произведение x^2y^2 наибольшее, когда

$$x^2 = y^2 \text{ или } x = y.$$

Итак, сечение бруса должно быть квадратным.

Два земельных участка

ЗАДАЧИ

1. Какой формы должен быть прямоугольный участок данной площади, чтобы длина ограничивающей его изгороди была наименьшей?

2. Какой формы должен быть прямоугольный участок, чтобы при данной длине изгороди площадь его была наибольшей?

РЕШЕНИЕ

1. Форма прямоугольного участка определяется соотношением его сторон x и y. Площадь участка со сторонами x и y равна xy, а длина изгороди $2x + 2y$. Длина изгороди будет наименьшей, если $x + y$ достигнет наименьшей величины.

При постоянном произведении xy сумма $x + y$ наименьшая в случае равенства $x = y$. Следовательно, искомый прямоугольник — квадрат.

2. Если x и y — стороны прямоугольника, то длина изгороди $2x + 2y$, а площадь xy. Это произведение будет наибольшим тогда же, когда и произведение $4xy$, т.е. $2x \cdot 2y$; последнее же произведение при постоянной сумме его множителей $2x + 2y$ становится наибольшим при $2x = 2y$, т.е. когда участок имеет форму квадрата.

К известным нам из геометрии свойствам квадрата мы можем, следовательно, прибавить еще следующее: из всех прямоугольников он обладает наименьшим периметром при данной площади и наибольшей площадью при данном периметре.

Бумажный змей

ЗАДАЧА

Змею, имеющему вид кругового сектора, желают придать такую форму, чтобы он вмещал в данном периметре наибольшую площадь. Какова должна быть форма сектора?

РЕШЕНИЕ

Уточняя требование задачи, мы должны разыскать, при каком соотношении длины дуги сектора и его радиуса площадь его достигает наибольшей величины при данном периметре.

Если радиус сектора x, а дуга y, то его периметр l и площадь S выразятся так (рис. 24):

$$l = 2x + y,$$

220

$$S = \frac{xy}{2} = \frac{x(l - 2x)}{2}.$$

Величина S достигает максимума при том же значении x, что и произведение $2x(l - 2x)$, т.е. учетверенная площадь. Так как сумма множителей $2x(l - 2x) = l$ есть величина постоянная, то произведение их наибольшее, когда $2x = l - 2x$, откуда

$$x = \frac{l}{4},$$

$$y = l - 2 \cdot \frac{l}{4} = \frac{l}{2}.$$

Итак, сектор при данном периметре замыкает наибольшую площадь в том случае, когда его радиус составляет половину дуги (т.е. длина его дуги равна сумме радиусов или длина кривой части его периметра равна длине ломаной).

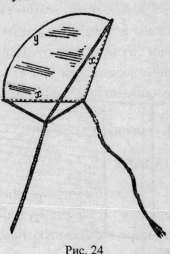

Рис. 24

Угол сектора равен $\approx 115°$ — двум радианам. Каковы летные качества такого широкого змея, — вопрос другой, рассмотрение которого в нашу задачу не входит.

Постройка дома

ЗАДАЧА

На месте разрушенного дома, от которого уцелела одна стена, желают построить новый. Длина уцелевшей стены — 12 м. Площадь нового дома должна равняться 112 кв. м. Хозяйственные условия работы таковы:

1) ремонт погонного метра стены обходится в 25% стоимости кладки новой;

2) разбор погонного метра старой стены и кладка из полученного материала новой стены стоит 50% того, во что обходится постройка погонного метра стены из нового материала.

Как при таких условиях наивыгоднейшим образом использовать уцелевшую стену?

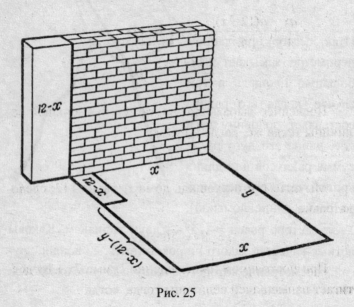

Рис. 25

РЕШЕНИЕ

Пусть от прежней стены сохраняется *x* метров, а остальные 12 – *x* метров разбираются, чтобы из полученного материала возвести заново часть стены нового дома (рис. 25). Если стоимость кладки погонного метра стены из нового материала равна a, то ремонт x метров старой стены будет стоить $\dfrac{ax}{4}$; возведение участка длиной $12 - x$ будет стоить $\dfrac{a(12 - x)}{2}$; прочей части этой стены — $a[y - (12 - x)]$, т.е. $a(y + x - 12)$; третьей стены — ax, четвертой — ay. Вся работа обойдется в

$$\frac{ax}{4} + \frac{a(12 - x)}{2} + a(y + x - 12) + ax + ay =$$

$$= \frac{a(7x + 8y)}{4} - 6a.$$

Последнее выражение достигает наименьшей величины тогда же, когда и сумма

$$7x + 8y.$$

Мы знаем, что площадь дома xy равна 112; следовательно,

$$7x \cdot 8y = 56 \cdot 112.$$

При постоянном произведении сумма $7x + 8y$ достигает наименьшей величины тогда, когда

$$7x = 8y,$$

откуда

$$y = \frac{7}{8}x.$$

Подставив это выражение для *y* в уравнение

$$xy = 112,$$

имеем:

$$\frac{7}{8}x^2 = 112, \ x = \sqrt{128} \approx 11{,}3.$$

А так как длина старой стены 12 м, то подлежит разборке только 0,7 м этой стены.

Дачный участок

ЗАДАЧА

При постройке дачи нужно было отгородить дачный участок. Материала имелось на *l* погонных метров изгороди. Кроме того, можно было воспользоваться ранее построенным забором (в качестве одной из сторон участка). Как при этих условиях отгородить прямоугольный участок наибольшей площади?

РЕШЕНИЕ

Пусть длина участка (по забору) равна *x*, а ширина (т.е. размер участка в направлении, перпендикулярном к забору) равна *y* (рис. 26). Тогда для огораживания этого участка нужно *x* + 2*y* метров изгороди, так что

$$x + 2y = l.$$

Площадь участка равна

$$S = xy = y \, (l - 2y).$$

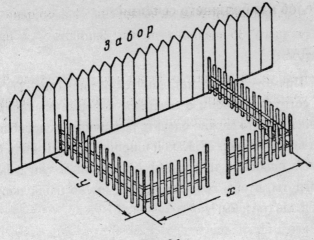

Она принимает наибольшее значение одновременно с величиной

$$2y\,(l - 2y)$$

(удвоенной площадью), которая представляет собой произведение двух множителей с постоянной суммой l. Поэтому для достижения наибольшей площади должно быть

$$2y = l - 2y,$$

откуда

$$y = \frac{l}{4}, \; x = l - 2y = \frac{l}{2}.$$

Иначе говоря, $x = 2y$, т.е. длина участка должна быть вдвое больше его ширины.

Желоб наибольшего сечения

ЗАДАЧА

Прямоугольный металлический лист (рис. 27) надо согнуть желобом с сечением в форме равнобокой трапеции. Это можно сделать различными способами, как видно из рис. 28. Какой ширины должны быть боковые полосы и под каким углом они должны быть отогнуты, чтобы сечение желоба имело наибольшую площадь (рис. 29)?

РЕШЕНИЕ

Пусть ширина листа l. Ширину отгибаемых боковых полос обозначим через x, а ширину дна желоба — через y. Введем еще одно неизвестное z, значение которого ясно из рис. 30.

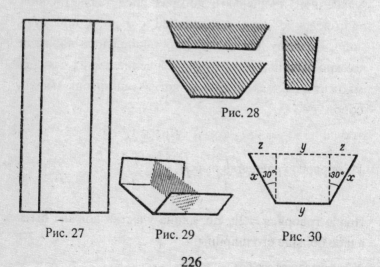

Рис. 28

Рис. 27

Рис. 29

Рис. 30

Площадь трапеции, представляющей сечение желоба,

$$S = \frac{(z+y+z)+y}{2}\sqrt{x^2-z^2} = \sqrt{(y+z)^2 \cdot (x^2-z^2)}.$$

Задача свелась к определению тех значений x, y, z, при которых S достигает наибольшей величины; при этом сумма $2x+y$ (т.е. ширина листа) сохраняет постоянную величину l. Делаем преобразования:

$$S^2 = (y+z)^2 \cdot (x+z) \cdot (x-z).$$

Величина S^2 становится наибольшей при тех же значениях x, y, z, что и $3S^2$, последнюю же можно представить в виде произведения

$$(y+z) \cdot (y+z) \cdot (x+z) \cdot (3x-3z).$$

Сумма этих четырех множителей

$$y+z+y+z+x+z+3x-3z = 2y+4x = 2l,$$

т.е. неизменна. Поэтому произведение наших четырех множителей максимально, когда они равны между собой, т.е.

$$y+z = x+z \quad \text{и} \quad x+z = 3x-3z.$$

Из первого уравнения имеем:

$$y = x,$$

а так как $y+2x = l$, то $x = y = \dfrac{l}{3}$.

227

Из второго уравнения находим:

$$z = \frac{x}{2} = \frac{l}{6}.$$

Далее, так как катет z равен половине гипотенузы x (см. рис. 30), то противолежащий этому катету угол равен 30°, а угол наклона боков желоба ко дну равен $90° + 30° = 120°$.

Итак, желоб будет иметь наибольшее сечение, когда грани его согнуты в форме трех смежных сторон правильного шестиугольника.

Воронка наибольшей вместимости

ЗАДАЧА

Из жестяного круга нужно изготовить коническую часть воронки. Для этого в круге вырезают сектор и остальную часть круга свертывают конусом (рис. 31). Сколько градусов должно быть в дуге вырезаемого сектора, чтобы конус получился наибольшей вместимости?

РЕШЕНИЕ

Длину дуги той части круга, которая свертывается в конус, обозначим через x (в линейных мерах). Следовательно, образующей конуса будет радиус R жестяного круга, а окружность основания будет равна x. Радиус r основания конуса определяем из равенства

$$2\pi r = x, \quad \text{откуда} \quad r = \frac{x}{2\pi}.$$

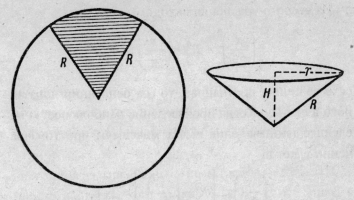

Рис. 31

Высота конуса (по теореме Пифагора)

$$H = \sqrt{R^2 - r^2} = \sqrt{R^2 - \frac{x^2}{4\pi^2}}$$

(см. рис. 31). Объем этого конуса имеет значение

$$V = \frac{\pi}{3} r^2 H = \frac{\pi}{3} \left(\frac{x}{2\pi}\right)^2 \sqrt{R^2 - \frac{x^2}{4\pi^2}}.$$

Это выражение достигает наибольшей величины одновременно с выражением

$$\left(\frac{x}{2\pi}\right)^2 \sqrt{R^2 - \left(\frac{x}{2\pi}\right)^2}$$

и его квадратом

$$\left(\frac{x}{2\pi}\right)^4 \left[R^2 - \left(\frac{x}{2\pi}\right)^2\right].$$

229

Так как

$$\left(\frac{x}{2\pi}\right)^2 + R^2 - \left(\frac{x}{2\pi}\right)^2 = R^2$$

есть величина постоянная, то (на основании доказанного в статье «Когда произведение наибольшее?») последнее произведение имеет максимум при том значении x, когда

$$\left(\frac{x}{2\pi}\right)^2 : \left[R^2 - \left(\frac{x}{2\pi}\right)^2\right] = 2 : 1,$$

откуда

$$\left(\frac{x}{2\pi}\right)^2 = 2R^2 - 2\left(\frac{x}{2\pi}\right)^2,$$

$$3 \cdot \left(\frac{x}{2\pi}\right)^2 = 2R^2 \quad \text{и} \quad x = \frac{2\pi}{3} R\sqrt{6} \approx 5{,}15R.$$

В градусах дуга $x \approx 295°$, и, значит, дуга вырезаемого сектора должна содержать $\approx 65°$.

Самое яркое освещение

ЗАДАЧА

На какой высоте над столом должно находиться пламя свечи, чтобы всего ярче освешать лежащую на столе монету?

РЕШЕНИЕ

Может показаться, что для достижения наилучшего освещения надо поместить пламя возможно ниже. Это неверно: при низком положении пламени лучи падают очень отлого. Поднять свечу так, чтобы лучи падали круто, — значит удалить источник света.

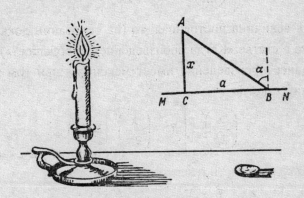

Рис. 32

Наиболее выгодна в смысле освещения, очевидно, некоторая средняя высота пламени над столом. Обозначим ее через x (рис. 32). Расстояние BC монеты B от основания C перпендикуляра, проходящего через пламя A, обозначим через a. Если яркость пламени i, то освещенность монеты, согласно законам оптики, выразится так:

$$\frac{i}{AB^2}\cos\alpha = \frac{i\cos\alpha}{\left(\sqrt{a^2+x^2}\right)^2} = \frac{i\cos\alpha}{a^2+x^2},$$

где α — угол падения пучка лучей AB. Так как

$$\cos\alpha = \cos A = \frac{x}{AB} = \frac{x}{\sqrt{a^2+x^2}},$$

231

то освещенность равна

$$\frac{i}{a^2 + x^2} \cdot \frac{x}{\sqrt{a^2 + x^2}} = \frac{ix}{\left(a^2 + x^2\right)^{\frac{3}{2}}}.$$

Это выражение достигает максимума при том же значении x, что и его квадрат, т.е.

$$\frac{i^2 x^2}{\left(a^2 + x^2\right)^3}.$$

Множитель i^2 как величину постоянную опускаем, а остальную часть исследуемого выражения преобразуем так:

$$\frac{x^2}{\left(a^2 + x^2\right)^3} = \frac{1}{\left(x^2 + a^2\right)^2} \cdot \left(1 - \frac{a^2}{x^2 + a^2}\right) =$$

$$= \left(\frac{1}{x^2 + a^2}\right)^2 \cdot \left(1 - \frac{a^2}{x^2 + a^2}\right).$$

Преобразованное выражение достигает максимума одновременно с выражением

$$\left(\frac{a^2}{x^2 + a^2}\right)^2 \cdot \left(1 - \frac{a^2}{x^2 + a^2}\right),$$

так как введенный постоянный множитель a^4 не влияет на то значение x, при котором произведение достигает максимума. Замечая, что сумма первых степеней этих множителей

232

$$\frac{a^2}{x^2 + a^2} + \left(1 - \frac{a^2}{x^2 + a^2}\right) = 1$$

есть величина постоянная, заключаем, что рассматриваемое произведение становится наибольшим, когда

$$\frac{a^2}{x^2 + a^2} : \left(1 - \frac{a^2}{x^2 + a^2}\right) = 2 : 1$$

(см. статью «Когда произведение наибольшее?»).

Имеем уравнение

$$a^2 = 2x^2 + 2a^2 - 2a^2.$$

Решив это уравнение, находим:

$$x = \frac{a}{\sqrt{2}} \approx 0{,}71a.$$

Монета освещается всего ярче, когда источник света находится на высоте 0,71 расстояния от проекции источника до монеты. Знание этого соотношения помогает при устройстве наилучшего освещения рабочего места.

ГЛАВА ВОСЬМАЯ
ПРОГРЕССИИ

Древнейшая прогрессия

ЗАДАЧА

Древнейшая задача на прогрессии — не вопрос о вознаграждении изобретателя шахмат, насчитывающий за собой двухтысячелетнюю давность, а гораздо более старая задача о делении хлеба, которая записана в знаменитом египетском папирусе Ринда. Папирус этот, разысканный Риндом в конце XIX столетия, составлен около 2000 лет до новой эры и является списком с другого, еще более древнего математического сочинения, относящегося, быть может, к третьему тысячелетию до новой эры. В числе арифметических, алгебраических и геометрических задач этого документа имеется такая (приводим ее в вольной передаче).

Сто мер хлеба разделить между пятью людьми так, чтобы второй получил на столько же больше первого, на сколько третий получил больше второго, четвертый больше третьего и пятый больше четвертого.

Кроме того, двое первых должны получить в 7 раз меньше трех остальных. Сколько нужно дать каждому?

РЕШЕНИЕ

Очевидно, количество хлеба, полученное участниками раздела, составляет возрастающую арифметическую прогрессию. Пусть первый ее член — x, разность — y. Тогда

доля первого x

» второго . . . . . . $x + y$

» третьего . . . . . $x + 2y$

» четвертого . . . . $x + 3y$

» пятого . . . . . . $x + 4y$

На основании условий задачи составляем следующие два уравнения:

$$\begin{cases} x + (x + y) + (x + 2y) + (x + 3y) + (x + 4y) = 100, \\ 7 \cdot [x + (x + y)] = (x + 2y) + (x + 3y) + (x + 4y). \end{cases}$$

После упрощений первое уравнение получает вид

$$x + 2y = 20,$$

а второе

$$11x = 2y.$$

Решив эту систему, получаем:

$$x = 1\frac{2}{3}, \quad y = 9\frac{1}{6}.$$

Значит, хлеб должен быть разделен на следующие части:

$$1\frac{2}{3}, \quad 10\frac{5}{6}, \quad 20, \quad 29\frac{1}{2}, \quad 38\frac{1}{3}.$$

Алгебра на клетчатой бумаге

Несмотря на пятидесятивековую древность этой задачи на прогрессии, в нашем школьном обиходе прогрессии появились сравнительно недавно. В учебнике Магницкого, изданном триста лет назад и служившем целых полвека основным руководством для школьного обучения, прогрессии хотя и имеются, но общих формул, связывающих входящие в них величины между собой, в нем не дано. Сам составитель учебника не без затруднений справлялся поэтому с такими задачами. Между тем формулу суммы членов арифметической прогрессии легко вывести простым и наглядным приемом с помощью клетчатой бумаги. На такой бумаге любая арифметическая прогрессия изображается ступенчатой фигурой. Например, фигура *ABDC* на рис. 33 изображает прогрессию:

$$2; 5; 8; 11; 14.$$

Чтобы определить сумму ее членов, дополним чертеж до прямоугольника *ABGE*. Получим две равные фигуры *ABDC* и *DGEC*. Площадь каждой из них изображает сумму членов нашей прогрессии. Значит, двойная сумма прогрессии равна площади прямоугольника *ABGE*, т.е.

$$(AC + CE) \cdot AB.$$

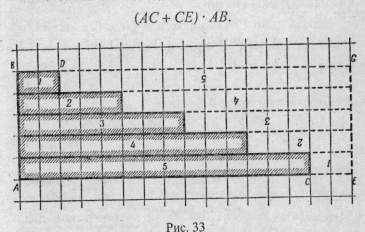

Рис. 33

Но *AC* + *CE* изображает сумму 1-го и 5-го членов прогрессии; *AB* — число членов прогрессии. Поэтому двойная сумма

$$2S = (\text{сумма крайних членов}) \cdot (\text{число членов})$$

или

$$S = \frac{(\text{первый} + \text{последний член}) \cdot (\text{число членов})}{2}.$$

Поливка огорода

ЗАДАЧА

В огороде 30 грядок, каждая длиной 16 м и шириной 2,5 м. Поливая грядки, огородник приносит ведра

237

с водой из колодца, расположенного в 14 м от края огорода (рис. 34), и обходит грядки по меже, причем воды, приносимой за один раз, достаточно для поливки только одной грядки.

Какой длины путь должен пройти огородник, поливая весь огород? Путь начинается и кончается у колодца.

Рис. 34

РЕШЕНИЕ

Для поливки первой грядки огородник должен пройти путь

$$14 + 16 + 2{,}5 + 16 + 2{,}5 + 14 = 65 \text{ м.}$$

При поливке второй он проходит

$$14 + 2{,}5 + 16 + 2{,}5 + 16 + 2{,}5 + 2{,}5 + 14 = 65 + 5 = 70 \text{ м.}$$

Каждая следующая грядка требует пути на 5 м длиннее предыдущей. Имеем прогрессию:

$$65; \ 70; \ 75; \ ... \ ; 65 + 5 \cdot 29.$$

Сумма ее членов равна

$$\frac{(65 + 65 + 29 \cdot 5) \cdot 30}{2} = 4125 \text{ м.}$$

Огородник при поливке всего огорода проходит путь в 4,125 км.

Кормление кур

ЗАДАЧА

Для 31 курицы запасено некоторое количество корма из расчета по декалитру в неделю на каждую курицу. При этом предполагалось, что численность кур меняться не будет. Но так как в действительности число кур каждую неделю убывало на 1, то заготовленного корма хватило на двойной срок.

Как велик был запас корма и на сколько времени был он первоначально рассчитан?

РЕШЕНИЕ

Пусть запасено было x декалитров корма на y недель. Так как корм рассчитан на 31 курицу по 1 декалитру на курицу в неделю, то

$$x = 31y.$$

В первую неделю израсходовано было 31 дал, во вторую 30, в третью 29 и т.д. до последней недели всего удвоенного срока, когда израсходовано было:

$$(31 - 2y + 1) \text{ дал}^{1}.$$

Весь запас составлял, следовательно,

$$x = 31y = 31 - 30 + 29 + \ldots + (31 - 2y + 1).$$

Сумма $2y$ членов прогрессии, первый член которой 31, а последний $31 - 2y + 1$, равна

$$31y = \frac{(31 + 31 - 2y + 1) \cdot 2y}{2} = (63 - 2y)y.$$

---

[1] Поясним: расход корма в течение

1-й	недели	31 дал
2-й	»	$31 - 1$ дал
3-й	»	$31 - 2$ дал
. . . .		
2y-й	»	$31 - (2y - 1) = 31 - 2y + 1$ дал

240

Так как *y* не может быть равен нулю, то мы вправе обе части равенства сократить на этот множитель. Получаем:

$$31 = 63 - 2y \quad \text{и} \quad y = 16,$$

откуда

$$x = 31y = 496.$$

Запасено было 496 декалитров корма на 16 недель.

Бригада землекопов

ЗАДАЧА

Старшеклассники обязались вырыть на школьном участке канаву и организовали для этого бригаду землекопов. Если бы бригада работала в полном составе, канава была бы вырыта в 24 часа. Но в действительности к работе приступил сначала только один член бригады. Спустя некоторое время присоединился второй; еще через столько же времени — третий, за ним через такой же промежуток четвертый и так до последнего. При расчете оказалось, что первый работал в 11 раз дольше последнего. Сколько времени работал последний?

РЕШЕНИЕ

Пусть последний член бригады работал *x* часов, тогда первый работал 11*x* часов. Далее, если число

241

рывших канаву учеников было y, то общее число часов работы определится как сумма y членов убывающей прогрессии, первый член которой $11x$, а последний x, т.е.

$$\frac{(11x + x)y}{2} = 6xy.$$

С другой стороны, известно, что бригада из y человек, работая в полном составе, выкопала бы канаву в 24 часа, т.е. что для выполнения работы необходимо $24y$ рабочих часов. Следовательно,

$$6xy = 24y.$$

Рис. 35

Число y не может равняться нулю; на этот множитель можно поэтому уравнение сократить, после чего получаем:

$$6x = 24 \quad \text{и} \quad x = 4.$$

Итак, член бригады, приступивший к работе последним, работал 4 часа.

Мы ответили на вопрос задачи; но если бы мы полюбопытствовали узнать, сколько рабочих входило в бригаду, то не могли бы этого определить, несмотря на то, что в уравнении число это фигурировало (под буквой *y*). Для решения этого вопроса в задаче не приведено достаточных данных.

Яблоки

ЗАДАЧА

Садовник продал первому покупателю половину всех своих яблок и еще пол-яблока, второму покупателю — половину оставшихся и еще пол-яблока; третьему — половину оставшихся и еще пол-яблока и т.д. Седьмому покупателю он продал половину оставшихся яблок и еще пол-яблока; после этого яблок у него не осталось. Сколько яблок было у садовника?

РЕШЕНИЕ

Если первоначальное число яблок *x*, то первый покупатель получил

$$\frac{x}{2}+\frac{1}{2}=\frac{x+1}{2},$$

второй

$$\frac{1}{2}\cdot\left(x-\frac{x+1}{2}\right)+\frac{1}{2}=\frac{x+1}{2^2},$$

третий

$$\frac{1}{2} \cdot \left(x - \frac{x+1}{2} - \frac{x+1}{4} \right) + \frac{1}{2} = \frac{x+1}{2^3},$$

седьмой покупатель

$$\frac{x+1}{2^7}.$$

Имеем уравнение

$$\frac{x+1}{2} + \frac{x+1}{2^2} + \frac{x+1}{2^3} + \ldots + \frac{x+1}{2^7} = x$$

или

$$(x+1)\left(\frac{1}{2} + \frac{1}{2^2} + \frac{1}{2^3} + \ldots + \frac{1}{2^7} \right) = x.$$

Вычисляя стоящую в скобках сумму членов геометрической прогрессии, найдем:

$$\frac{x}{x+1} = 1 - \frac{1}{2^7}$$

и

$$x = 2^7 - 1 = 127.$$

Всех яблок было 127.

Покупка лошади

ЗАДАЧА

В старинной «Арифметике» Магницкого мы находим следующую забавную задачу, которую привожу здесь, не сохраняя языка подлинника:

Некто продал лошадь за 156 руб. Но покупатель, приобретя лошадь, раздумал ее покупать и возвратил продавцу, говоря:

Рис. 36

— Нет мне расчета покупать за эту цену лошадь, которая таких денег не стоит.

Тогда продавец предложил другие условия:

— Если, по-твоему, цена лошади высока, то купи только ее подковные гвозди, лошадь же получишь тогда в придачу бесплатно. Гвоздей в каждой подкове 6. За первый гвоздь дай мне всего $\frac{1}{4}$ коп., за второй — $\frac{1}{2}$ коп., за третий — 1 коп. и т.д.

Покупатель, соблазненный низкой ценой и желая даром получить лошадь, принял условия продавца, рассчитывая, что за гвозди придется уплатить не более 10 рублей.

На сколько покупатель проторговался?

РЕШЕНИЕ

За 24 подковных гвоздя пришлось уплатить

$$\frac{1}{4}+\frac{1}{2}+1+2+2^2+2^3+...+2^{24-3}$$

копеек. Сумма эта равна

$$\frac{2^{21}\cdot2-\frac{1}{4}}{2-1}=2^{22}-\frac{1}{4}=4\,194\,303\frac{3}{4}\text{ коп.,}$$

т.е. около 42 тысяч рублей. При таких условиях не обидно дать и лошадь в придачу.

Вознаграждение воина

ЗАДАЧА

Из другого старинного русского учебника математики, носящего пространное заглавие:

«Полный курс чистой математики, сочиненный Артиллерии Штык-Юнкером и Математики партикулярным Учителем Ефимом Войтяховским в пользу и употребление юношества и упражняющихся в Математике» (1795), заимствую следующую задачу:

«Служившему воину дано вознаграждение за первую рану 1 копейка, за другую — 2 копейки, за третью — 4 копейки и т.д. По исчислению нашлось, что воин получил всего вознаграждения 655 руб. 35 коп. Спрашивается число его ран».

РЕШЕНИЕ

Составляем уравнение

$$65\,535 = 1 + 2 + 2^2 + 2^3 + ... + 2^{x-1},$$

или

$$65\,535 = \frac{2^{x-1} \cdot 2 - 1}{2 - 1} = 2^x - 1,$$

откуда имеем:

$$65\,536 = 2^x \quad \text{и} \quad x = 16$$

— результат, который легко находим путем испытаний.

При столь великодушной системе вознаграждения воин должен получить 16 ран и остаться при этом в живых, чтобы удостоиться награды в 655 руб. 35 коп.

ГЛАВА ДЕВЯТАЯ

СЕДЬМОЕ МАТЕМАТИЧЕСКОЕ ДЕЙСТВИЕ

Седьмое действие

Мы упоминали уже, что пятое действие — возвышение в степень — имеет два обратных. Если

$$a^b = c,$$

то разыскание a есть одно обратное действие — извлечение корня; нахождение же b — другое, логарифмирование. Полагаю, что читатель этой книги знаком с основами учения о логарифмах в объеме школьного курса. Для него, вероятно, не составит труда сообразить, чему, например, равно такое выражение:

$$a^{\lg_a b}.$$

Нетрудно понять, что если основание логарифмов a возвысить в степень логарифма числа b, то должно получиться это число b.

Для чего были придуманы логарифмы? Конечно, для ускорения и упрощения вычислений. Изобретатель первых логарифмических таблиц, Непер, так говорит о своих побуждениях:

«Я старался, насколько мог и умел, отделаться от трудности и скуки вычислений, докучность которых обычно отпугивает весьма многих от изучения математики».

В самом деле, логарифмы чрезвычайно облегчают и ускоряют вычисления, не говоря уже о том, что они дают возможность производить такие операции, выполнение которых без их помощи очень затруднительно (извлечение корня любой степени).

Не без основания писал Лаплас, что «изобретение логарифмов, сокращая вычисления нескольких месяцев в труд нескольких дней, словно удваивает жизнь астрономов». Великий математик говорит об астрономах, так как им приходится делать особенно сложные и утомительные вычисления. Но слова его с полным правом могут быть отнесены ко всем вообще, кому приходится иметь дело с числовыми выкладками.

Нам, привыкшим к употреблению логарифмов и к доставляемым ими облегчениям выкладок, трудно представить себе то изумление и восхищение, которое вызвали они при своем появлении. Современник Непера, Бригг, прославившийся позднее изобретением десятичных логарифмов, писал, получив сочинение Непера: «Своими новыми и удивительными логарифмами Непер заставил меня усиленно работать и головой и руками. Я надеюсь увидеть его летом, так как никогда не читал книги, которая нравилась бы мне больше и приводила бы в большее изумление». Бригг осуществил свое намерение и направился в Шотландию, чтобы посетить изобретателя логарифмов. При встрече Бригг сказал:

«Я предпринял это долгое путешествие с единственной целью видеть вас и узнать, помощью какого орудия остроумия и искусства были вы приведены к первой мысли о превосходном пособии для астрономии — логарифмах. Впрочем, теперь я больше удивляюсь тому, что никто не нашел их раньше, — настолько кажутся они простыми после того, как о них узнаешь».

Соперники логарифмов

Ранее изобретения логарифмов потребность в ускорении выкладок породила таблицы иного рода, с помощью которых действие умножения заменяется не сложением, а вычитанием. Устройство этих таблиц основано на тождестве

$$ab = \frac{(a+b)^2}{4} - \frac{(a-b)^2}{4},$$

в верности которого легко убедиться, раскрыв скобки.

Имея готовые четверти квадратов, можно находить произведение двух чисел, не производя умножения, а вычитая из четверти квадрата суммы этих чисел четверть квадрата их разности. Те же таблицы облегчают возвышение в квадрат и извлечение квадратного корня, а в соединении с таблицей обратных чисел упрощают и действие деления. Их преимущество перед таблицами логарифмическими состоит в том, что с помощью их получаются результаты *точные*, а не приближенные. Зато они уступают логарифмическим в ряде других пунктов, практически гораздо более важных. В то время как таблицы четвертей квадратов позволяют перемножать только два числа, логарифмы дают возможность находить *сразу* произведение любого числа множителей, а кроме того — возвышать в *любую* степень и извлекать корни с *любым* показателем (целым или дробным). Вычислять, например, сложные проценты с помощью таблиц четвертей квадратов нельзя.

Тем не менее таблицы четвертей квадратов издавались и после того, как появились логарифмические таблицы всевозможных родов. В 1856 г. во Франции вышли таблицы под заглавием:

«Таблица квадратов чисел от 1 до 1000 миллионов, помощью которой находят точное произведение чисел весьма простым приемом, более удобным, чем помощью логарифмов. Составил Александр Коссар».

Идея эта возникает у многих, не подозревающих о том, что она уже давно осуществлена. Ко мне раза два обращались изобретатели подобных таблиц как с новинкой и очень удивлялись, узнав, что их изобретение имеет более чем трехсотлетнюю давность.

Другим, более молодым соперником логарифмов являются вычислительные таблицы, имеющиеся во многих технических справочниках. Это — сводные таблицы, содержащие следующие графы: квадраты чисел, кубы, квадратные корни, кубические корни, обратные числа, длины окружности и площади кругов для чисел от 2 до 1000. Для многих технических расчетов таблицы эти очень удобны, однако они не всегда достаточны; логарифмические имеют гораздо более обширную область применения.

Эволюция логарифмических таблиц

В наших школах еще не столь давно употреблялись 5-значные логарифмические таблицы. Теперь перешли на 4-значные, так как они вполне достаточны для технических расчетов. Но для большинства практических надобностей можно успешно обходиться даже 3-значными мантиссами: ведь обиходные измерения редко выполняются более чем с тремя знаками.

Мысль о достаточности более коротких мантисс осознана сравнительно недавно. Я помню еще время, когда в наших школах были в употреблении увесистые тома 7-значных логарифмов, уступившие свое место 5-значным лишь после упорной борьбы. Но и 7-значные логарифмы при своем появлении (1794) казались непозволительным новшеством. Первые десятичные логарифмы, созданные трудом лондонского математика Генри Бригга (1624), были 14-значные. Их сменили спустя несколько лет 10-значные таблицы голландского математика Андриана Влакка.

Как видим, эволюция ходовых логарифмических таблиц шла от многозначных мантисс к более коротким и не завершилась еще в наши дни, так как и теперь многими не осознана та простая мысль, что точность вычислений не может превосходить точности измерений.

Укорочение мантисс влечет за собой два важных практических следствия: 1) заметное уменьшение объема таблиц и 2) связанное с этим упрощение пользования ими, а значит, и ускорение выполняемых с помощью их вычислений. Семизначные логарифмы чисел занимают около 200 страниц большого формата, 5-значные — 30 страничек вдвое меньшего формата, 4-значные занимают вдесятеро меньший объем, умещаясь на двух страницах большого формата, 3-значные же могут поместиться на одной странице.

Что же касается быстроты вычислений, то установлено, что, например, расчет, выполняемый по 5-значным таблицам, требует втрое меньше времени, чем по 7-значным.

Логарифмические диковинки

Если вычислительные потребности практической жизни и технического обихода вполне обеспечиваются 3- и 4-значными таблицами, то, с другой стороны, к услугам теоретического исследователя имеются таблицы и с гораздо большим числом знаков, чем даже 14-значные логарифмы Бригга. Вообще говоря, логарифм в большинстве случаев есть число иррациональное и не может быть точно выражен никаким числом цифр; логарифмы большинства чисел, сколько бы знаков ни брать, выражаются лишь приближенно, — тем точнее, чем больше цифр в их мантиссе. Для научных работ оказывается иногда недостаточной точность 14-значных логарифмов[1]; но среди 500 всевозможных образцов логарифмических таблиц, вышедших в свет со времени их изобретения, исследователь всегда найдет такие, которые его удовлетворяют. Назовем, например, 20-значные логарифмы чисел от 2 до 1200, изданные во Франции Калле (1795). Для еще более ограниченной группы чисел имеются таблицы логарифмов с огромным числом десятичных знаков — настоящие логарифмические диковинки, о существовании которых, как я убедился, не подозревают и многие математики.

Вот эти логарифмы-исполины; все они — не десятичные, а натуральные[2]:

48-значные таблицы Вольфрама для чисел до 10 000;

61-значные таблицы Шарпа;

102-значные таблицы Паркхерста и, наконец, логарифмическая сверхдиковинка:

260-значные логарифмы Адамса.

---

[1] 14-значные логарифмы Бригга имеются, впрочем, только для чисел от 1 до 20 000 и от 90 000 до 101 000.

[2] Натуральными называются логарифмы, вычисленные не при основании 10, а при основании 2,718..., о котором у нас еще будет речь впереди.

В последнем случае мы имеем, впрочем, не таблицу, а только так называемые натуральные логарифмы пяти чисел: 2, 3, 5, 7 и 10 и переводный (260-значный) множитель для перечисления их в десятичные. Нетрудно, однако, понять, что, имея логарифмы этих пяти чисел, можно простым сложением или умножением получить логарифмы множества составных чисел; например, логарифм 12 равен сумме логарифмов 2, 2 и 3 и т.п.

К логарифмическим диковинкам можно было бы с полным основанием отнести и счетную линейку — «деревянные логарифмы», — если бы этот остроумный прибор не сделался благодаря своему удобству столь же обычным счетным орудием для техников, как десятикосточковые счеты для конторских работников. Привычка угашает чувство изумления перед прибором, работающим по принципу логарифмов и тем не менее не требующим от пользующихся им даже знания того, что такое логарифм.

Логарифмы на эстраде

Самый поразительный из номеров, выполняемых перед публикой профессиональными счетчиками, без сомнения, следующий. Предуведомленные афишей, что счетчик-виртуоз будет извлекать в уме корни высоких степеней из многозначных чисел, вы заготовляете дома путем терпеливых выкладок 31-ю степень какого-нибудь числа и намерены сразить счетчика 35-значным числовым линкором. В надлежащий момент вы обращаетесь к счетчику со словами:

— А попробуйте извлечь корень 31-й степени из следующего 35-значного числа! Запишите, я продиктую.

Виртуоз-вычислитель берет мел, но прежде чем вы успели открыть рот, чтобы произнести первую цифру, у него уже написан результат: 13.

Не зная числа, он извлек из него корень, да еще 31-й степени, да еще в уме, да еще с молниеносной быстротой!..

Вы изумлены, уничтожены, а между тем во всем этом нет ничего сверхъестественного. Секрет просто в том, что существует только *одно* число, именно 13, которое в 31-й степени дает 35-значный результат. Числа, меньшие 13, дают меньше 35 цифр, бо́льшие — больше.

Откуда, однако, счетчик знал это? Как разыскал он число 13? Ему помогли логарифмы, *двузначные* логарифмы, которые он помнит наизусть для первых 15—20 чисел. Затвердить их вовсе не так трудно, как кажется, особенно если пользоваться тем, что логарифм составного числа равен сумме логарифмов его простых множителей. Зная твердо логарифмы 2, 3 и 7[1], вы уже знаете логарифмы чисел первого десятка; для второго десятка требуется помнить логарифмы еще четырех чисел.

---

[1] Напомним, что $\lg 5 = \lg \dfrac{10}{2} = 1 - \lg 2$.

Как бы то ни было, эстрадный вычислитель мысленно располагает следующей табличкой двузначных логарифмов.

Числа	Лог.	Числа	Лог.
2	0,30	11	1,04
3	0,48	12	1,08
4	0,60	13	1,11
5	0,70	14	1,15
6	0,78	15	1,18
7	0,85	16	1,20
8	0,90	17	1,23
9	0,95	18	1,26
		19	1,28

Изумивший вас математический трюк состоял в следующем:

$$\lg \sqrt[31]{(35 \text{ цифр})} = \frac{34,...}{31}.$$

Искомый логарифм может заключаться между

$$\frac{34}{31} \text{ и } \frac{34,99}{31}, \text{ или между } 1,09 \text{ и } 1,13.$$

В этом интервале имеется логарифм только одного целого числа, именно 1,11 — логарифм 13. Таким путем и найден ошеломивший вас результат. Конечно, чтобы быстро проделать все это в уме, надо обладать находчивостью и сноровкой профессионала, но, по существу, дело, как видите, достаточно просто. Вы и сами можете теперь проделывать подобные фокусы, если не в уме, то на бумаге.

Пусть вам предложена задача: извлечь корень 64-й степени из 20-значного числа.

Не осведомившись о том, чтó это за число, вы можете объявить результат извлечения: корень равен 2.

В самом деле $\lg \sqrt[64]{(20\,\text{цифр})} = \dfrac{19,\ldots}{64}$; он должен,

следовательно, заключаться между $\dfrac{19}{64}$ и $\dfrac{19,99}{64}$, т.е. между 0,29 и 0,32. Такой логарифм для целого числа только один: 0,30..., т.е. логарифм числа 2.

Вы даже можете окончательно поразить загадчика, сообщив ему, какое число он собирался вам продиктовать: знаменитое «шахматное» число

$$2^{64} = 18\,446\,744\,073\,709\,551\,616.$$

Логарифмы на животноводческой ферме

ЗАДАЧА

Количество так называемого «поддерживающего» корма (т.е. то наименьшее количество его, которое лишь пополняет траты организма на теплоотдачу, работу внутренних органов, восстановление отмирающих клеток и т.п.)[1] пропорционально наружной по-

_____

[1] В отличие от «продуктивного» корма, т.е. части корма, идущей на выработку продукции животного, ради которой оно содержится.

верхности тела животного. Зная это, определите калорийность поддерживающего корма для вола, весящего 420 кг, если при тех же условиях вол 630 кг весом нуждается в 13 500 калориях.

РЕШЕНИЕ

Чтобы решить эту практическую задачу из области животноводства, понадобится, кроме алгебры, привлечь на помощь и геометрию. Согласно условию задачи искомая калорийность x пропорциональна поверхности (s) вола, т.е.

$$\frac{x}{13\,500} = \frac{s}{s_1},$$

где s_1 — поверхность тела вола, весящего 630 кг. Из геометрии мы знаем, что поверхности (s) подобных тел относятся, как квадраты их линейных размеров (l), а объемы (и, следовательно, веса) — как кубы линейных размеров. Поэтому

$$\frac{s}{s_1} = \frac{l^2}{l_1^2}, \frac{420}{630} = \frac{l^3}{l_1^3}, \text{ и, значит, } \frac{l}{l_1} = \frac{\sqrt[3]{420}}{\sqrt[3]{630}},$$

откуда

$$\frac{x}{13\,500} = \frac{\sqrt[3]{420^2}}{\sqrt[3]{630^2}} = \sqrt[3]{\left(\frac{420}{630}\right)^2} = \sqrt[3]{\left(\frac{2}{3}\right)^2},$$

$$x = 13\,500 \sqrt[3]{\frac{4}{9}}.$$

259

С помощью логарифмических таблиц находим:

$$x = 10\,300.$$

Вол нуждается в 10 300 калориях.

Логарифмы в музыке

Музыканты редко увлекаются математикой; большинство их, питая к этой науке чувство уважения, предпочитают держаться от нее подальше. Между тем музыканты — даже те, которые не проверяют, подобно Сальери у Пушкина, «алгеброй гармонию», — соприкасаются с математикой гораздо чаще, чем сами подозревают, и притом с такими «страшными» вещами, как логарифмы.

Позволю себе по этому поводу привести отрывок из статьи нашего покойного физика проф. А. Эйхенвальда[1].

«Товарищ мой по гимназии любил играть на рояле, но не любил математики. Он даже говорил с оттенком пренебрежения, что музыка и математика друг с другом ничего не имеют общего. «Правда, Пифагор нашел какие-то соотношения между звуковыми колебаниями, — но ведь как раз пифагорова-то гамма для нашей музыки и оказалась неприменимой».

Представьте же себе, как неприятно был поражен мой товарищ, когда я доказал ему, что, играя по кла-

---

[1] Она была напечатана в «Русском астрономическом календаре на 1919 г.» и озаглавлена «О больших и малых расстояниях».

вишам современного рояля, он играет, собственно говоря, на логарифмах... И действительно, так называемые «ступени» темперированной хроматической гаммы не расставлены на равных расстояниях ни по отношению к числам колебаний, ни по отношению к длинам волн соответствующих звуков, а представляют собой логарифмы этих величин. Только основание этих логарифмов равно 2, а не 10, как принято в других случаях.

Положим, что нота *do* самой низкой октавы — будем ее называть нулевой октавой — определена n колебаниями в секунду. Тогда *do* первой октавы будет делать в секунду $2n$ колебаний, а m-й октавы $n \cdot 2^m$ колебаний и т.д. Обозначим все ноты хроматической гаммы рояля номерами p, принимая основной тон *do* каждой октавы за нулевой; тогда, например, тон *sol* будет 7-й, *la* будет 9-й и т.д.; 12-й тон будет опять *do*, только октавой выше. Так как в темперированной хроматической гамме каждый последующий тон имеет в $\sqrt[12]{2}$ большее число колебаний, чем предыдущий, то число колебаний любого тона можно выразить формулой

$$N_{pm} = n \cdot 2^m \left(\sqrt[12]{2} \right)^p.$$

Логарифмируя эту формулу, получаем:

$$\lg N_{pm} = \lg n + m \lg 2 + p \frac{\lg 2}{12},$$

или

$$\lg N_{pm} = \lg n + \left(m + \frac{p}{12}\right)\lg 2\,,$$

а принимая число колебаний самого низкого *do* за единицу ($n = 1$) и переводя все логарифмы к основанию, равному 2 (или попросту принимая $\lg 2 = 1$), имеем:

$$\lg N_{pm} = m + \frac{p}{12}\,.$$

Отсюда видим, что номера клавишей рояля представляют собой логарифмы чисел колебаний соответствующих звуков[1]. Мы даже можем сказать, что номер октавы представляет собой характеристику, а номер звука в данной октаве[2] — мантиссу этого логарифма».

Например, — поясним от себя, — в тоне *sol* третьей октавы, т.е. в числе $3 + \frac{7}{12}$ ($\approx 3{,}583$), число 3 есть характеристика логарифма числа колебаний этого тона, а $\frac{7}{12}$ ($\approx 0{,}583$) — мантисса того же логарифма при основании 2; число колебаний, следовательно, в $2^{3,583}$, т.е. в 11,98, раза больше числа колебаний тона *do* первой октавы.

---

[1] Умноженные на 12.
[2] Деленный на 12.

Звезды, шум и логарифмы

Заголовок этот, связывающий столь, казалось бы, несоединимые вещи, не притязает быть пародией на произведения Козьмы Пруткова; речь в самом деле пойдет о звездах и о шуме в тесной связи с логарифмами.

Шум и звезды объединяются здесь потому, что и громкость шума и яркость звезд оцениваются одинаковым образом — по логарифмической шкале.

Астрономы распределяют звезды по степеням видимой яркости на светила первой величины, второй величины, третьей и т.д. Последовательные звездные величины воспринимаются глазом как члены арифметической прогрессии. Но физическая яркость их изменяется по иному закону: объективные яркости составляют геометрическую прогрессию со знаменателем 2,5. Легко понять, что «величина» звезды представляет собой не что иное, как логарифм ее физической яркости. Звезда, например, третьей величины ярче звезды первой величины в $2{,}5^{3-1}$, т.е. в 6,25 раза. Короче говоря, оценивая видимую яркость звезд, астроном оперирует с таблицей логарифмов, составленной при основании 2,5. Не останавливаюсь здесь подробнее на этих интересных соотношениях, так как им уделено достаточно страниц в другой моей книге — «Занимательная астрономия».

Сходным образом оценивается и громкость шума. Вредное влияние промышленных шумов на здоровье рабочих и на производительность труда побудило выработать приемы точной числовой оценки громкости шума. Единицей громкости служит «бел», практически — его десятая доля, «децибел». Последовательные степени громкости — 1 бел, 2 бела и т.д. (практически — 10 децибел, 20 децибел и т.д.) — составляют для нашего слуха арифметическую прогрессию. Физическая же «сила» этих шумов (точнее — энергия) составляет геометрическую прогрессию со знаменателем 10. Разности громкостей в 1 бел отвечает отношение силы шумов 10. Значит, громкость шума, выраженная в белах, равна десятичному логарифму его физической силы.

Дело станет яснее, если рассмотрим несколько примеров.

Тихий шелест листьев оценивается в 1 бел, громкая разговорная речь — в 6,5 бела, рычанье льва — в 8,7 бела. Отсюда следует, что по силе звука разговорная речь превышает шелест листьев в

$$10^{6,5-1} = 10^{5,5} = 316\,000 \text{ раз};$$

львиное рычанье сильнее громкой разговорной речи в

$$10^{8,7-6,5} = 10^{2,2} = 158 \text{ раз}.$$

Шум, громкость которого больше 8 бел, признается вредным для человеческого организма. Указанная норма на многих заводах превосходится: здесь бывают шумы в 10 и более бел; удары молотка в стальную плиту порождают шум в 11 бел. Шумы эти в

100 и 1000 раз сильнее допустимой нормы и в 10—100 раз громче самого шумного места Ниагарского водопада (9 бел).

Случайность ли то, что и при оценке видимой яркости светил и при измерении громкости шума мы имеем дело с логарифмической зависимостью между величиной ощущения и порождающего его раздражения? Нет, то и другое — следствие общего закона (называемого «психофизическим законом Фехнера»), гласящего: величина ощущения пропорциональна логарифму величины раздражения.

Как видим, логарифмы вторгаются и в область психологии.

Логарифмы в электроосвещении

ЗАДАЧА

Причина того, что наполненные газом (часто называемые неправильно «полуваттными») лампочки дают более яркий свет, чем пустотные с металлической нитью из такого же материала, кроется в различной температуре нити накала. По правилу, установленному в физике, общее количество света, испускаемое при белом калении, растет пропорционально 12-й степени абсолютной температуры. Зная это, проделаем такое вычисление: определим, во сколько раз «полуваттная» лампа, температура нити накала которой 2500° абсолютной шкалы (т.е. при счете от –273°C), испускает больше света, чем пустотная с нитью, накаленной до 2200°.

265

РЕШЕНИЕ

Обозначив искомое отношение через x, имеем уравнение

$$x = \left(\frac{2500}{2200}\right)^{12} = \left(\frac{25}{22}\right)^{12},$$

откуда

$$\lg x = 12 \cdot (\lg 25 - \lg 22); \quad x = 4{,}6.$$

Наполненная газом лампа испускает света в 4,6 раза больше, нежели пустотная. Значит, если пустотная дает свет в 50 свечей, то наполненная газом при тех же условиях даст 230 свечей.

Сделаем еще расчет: какое повышение абсолютной температуры (в процентах) необходимо для удвоения яркости лампочки?

РЕШЕНИЕ

Составляем уравнение

$$\left(1 + \frac{x}{100}\right)^{12} = 2,$$

откуда

$$\lg\left(1 + \frac{x}{100}\right) = \frac{\lg 2}{12} \quad \text{и} \quad x = 6\%.$$

Наконец, третье вычисление: насколько — в процентах — возрастет яркость лампочки, если температура ее нити (абсолютная) поднимется на 1%?

РЕШЕНИЕ

Выполняя с помощью логарифмов вычисление $x = 1,01^{12}$, находим:

$$x = 1,13.$$

Яркость возрастет на 13%.

Проделав вычисление для повышения температуры на 2%, найдем увеличение яркости на 27%, при повышении температуры на 3% — увеличение яркости на 43%.

Отсюда ясно, почему в технике изготовления электролампочек так заботятся о повышении температуры нити накала, дорожа каждым лишним градусом.

Завещания на сотни лет

Кто не слыхал о том легендарном числе пшеничных зерен, какое будто бы потребовал себе в награду изобретатель шахматной игры? Число это составлялось путем последовательного удвоения единицы: за первое поле шахматной доски изобретатель потребовал 1 зерно, за второе 2 и т.д., все удваивая, до последнего, 64-го поля.

Однако с неожиданной стремительностью числа растут не только при последовательном удвоении, но и при гораздо более умеренной норме увеличения. Капитал, приносящий 5%, увеличивается ежегодно в 1,05 раза. Как будто не столь заметное возрастание. А между тем по прошествии достаточного промежутка времени капитал успевает вырасти в огромную сумму. Этим объясняется поражающее увеличение капиталов, завещанных на весьма долгий срок. Кажется странным, что, оставляя довольно скромную сумму, завещатель делает распоряжения об уплате огромных капиталов. Известно завещание знаменитого американского государственного деятеля Бенджамина Франклина. Оно опубликовано в «Собрании разных сочинений Бенджамина Франклина». Вот извлечение из него:

«Препоручаю тысячу фунтов стерлингов бостонским жителям. Если они примут эту тысячу фунтов, то должны поручить ее отборнейшим гражданам, а они будут давать их с процентами, по 5 на сто в год, в заем молодым ремесленникам[1]. Сумма эта через сто лет возвысится до 131 000 фунтов стерлингов. Я желаю, чтобы тогда 100 000 фунтов употреблены были на постройку общественных зданий, остальные же 31 000 фунтов отданы были в проценты на 100 лет. По истечении второго столетия сумма возрастет до 4 061 000 фунтов стерлингов, из коих 1 060 000 фунтов оставляю в распоряжении бостонских жителей, а 3 000 000 — правлению Массачусетской общины. Далее не осмеливаюсь простирать своих видов».

Оставляя всего 1000 фунтов, Франклин распределяет миллионы. Здесь нет, однако, никакого недоразумения. Математический расчет удостоверяет, что

---

[1] В Америке в ту эпоху еще не было кредитных учреждений.

соображения завещателя вполне реальны. 1000 фунтов, увеличиваясь ежегодно в 1,05 раза, через 100 лет должны превратиться в

$$x = 1000 \cdot 1{,}05^{100} \text{ фунтов.}$$

Это выражение можно вычислить с помощью логарифмов

$$\text{Lg } x = \lg 1000 + 100 \lg 1{,}05 = 5{,}11893,$$

откуда

$$x = 131 \cdot 000$$

в согласии с текстом завещания. Далее, 31 000 фунтов в течение следующего столетия превратятся в

$$y = 31\,000 \cdot 1{,}05^{100},$$

откуда, вычисляя с помощью логарифмов, находим:

$$y = 4\,076\,500$$

— сумму, несущественно отличающуюся от указанной в завещании.

Предоставляю читателю самостоятельно решить следующую задачу, почерпнутую из «Господ Головлевых» Салтыкова-Щедрина:

«Порфирий Владимирович сидит у себя в кабинете, исписывая цифирными выкладками листы бумаги. На этот раз его занимает вопрос: сколько было бы у него теперь денег, если бы маменька подаренные ему при рождении дедушкой на зубок сто рублей не присвоила себе, а положила в ломбард на имя малолетнего Порфирия? Выходит, однако, немного: всего восемьсот рублей».

Предполагая, что Порфирию в момент расчета было 50 лет, и сделав допущение, что он произвел вычисление правильно (допущение маловероятное, так как едва ли Головлев знал логарифмы и справлялся со сложными процентами), требуется установить, по сколько процентов платил в то время ломбард.

Непрерывный рост капитала

В сберкассах процентные деньги присоединяются к основному капиталу ежегодно. Если присоединение совершается чаще, то капитал растет быстрее, так как в образовании процентов участвует бо́льшая сумма. Возьмем чисто теоретический, весьма упрощенный пример. Пусть в сберкассу положено 100 руб. из 100% годовых. Если процентные деньги будут присоединены к основному капиталу лишь по истечении года, то к этому сроку 100 руб. превратятся в 200 руб. Посмотрим теперь, во что превратятся 100 рублей, если процентные деньги присоединять к основному капиталу каждые полгода. По истечении полугодия 100 руб. вырастут в

$$100 \text{ руб.} \cdot 1{,}5 = 150 \text{ руб.}$$

А еще через полгода — в

$$150 \text{ руб.} \cdot 1{,}5 = 225 \text{ руб.}$$

270

Если присоединение делать каждые $\dfrac{1}{3}$ года, то по истечении года 100 руб. превратятся в

$$100 \text{ руб.} \cdot \left(1\dfrac{1}{3}\right)^{3} \approx 237 \text{ руб. } 03 \text{ коп.}$$

Будем учащать сроки присоединения процентных денег до 0,1 года, до 0,01 года, до 0,001 года и т.д. Тогда из 100 руб. спустя год получится:

$$100 \text{ руб.} \cdot 1{,}1^{10} \approx 259 \text{ руб. } 37 \text{ коп.}$$
$$100 \text{ руб.} \cdot 1{,}01^{100} \approx 270 \text{ руб. } 48 \text{ коп.}$$
$$100 \text{ руб.} \cdot 1{,}001^{1000} \approx 271 \text{ руб. } 69 \text{ коп.}$$

Методами высшей математики доказывается, что при безграничном сокращении сроков присоединения наращенный капитал не растет беспредельно, а приближается к некоторому пределу, равному приблизительно[1]

$$271 \text{ руб. } 83 \text{ коп.}$$

Больше чем в 2,7183 раза капитал, положенный из 100%, увеличиться не может, даже если бы наросшие проценты присоединялись к капиталу каждую секунду.

---

[1] Дробные доли копейки мы отбросили.

Число „*e*“

Полученное число 2,718..., играющее в высшей математике огромную роль, — не меньшую, пожалуй, чем знаменитое число π, — имеет особое обозначение: *e*. Это — число иррациональное: оно не может быть точно выражено конечным числом цифр[1], но вычисляется только приближенно, с любой степенью точности, с помощью следующего ряда:

$$1+\frac{1}{1}+\frac{1}{1\cdot2}+\frac{1}{1\cdot2\cdot3}+\frac{1}{1\cdot2\cdot3\cdot4}+\frac{1}{1\cdot2\cdot3\cdot4\cdot5}+\ldots$$

Из приведенного выше примера с ростом капитала по сложным процентам легко видеть, что число *e* есть предел выражения

$$\left(1+\frac{1}{n}\right)^n$$

при беспредельном возрастании *n*.

По многим причинам, которых мы здесь изложить не можем, число *e* очень целесообразно принять за основание системы логарифмов. Такие таблицы («натуральных логарифмов») существуют и находят себе широкое применение в науке и технике. Те логарифмы-исполины из 48, из 61, из 102 и из 260 цифр, о ко-

---

[1] Кроме того, оно, как и число π, трансцендентно, т.е. не может получиться в результате решения какого бы то ни было алгебраического уравнения с целыми коэффициентами.

торых мы говорили ранее, имеют основанием именно число *e*.

Число *e* появляется нередко там, где его вовсе не ожидали. Поставим себе, например, такую задачу.

На какие части надо разбить данное число *a*, чтобы произведение всех частей было наибольшее?

Мы уже знаем, что наибольшее произведение при постоянной сумме дают числа тогда, когда они равны между собой. Ясно, что число *a* надо разбить на равные части. Но на сколько именно равных частей? На две, на три, на десять? Приемами высшей математики можно установить, что наибольшее произведение получается, когда части возможно ближе к числу *e*.

Например, 10 надо разбить на такое число равных частей, чтобы части были возможно ближе к 2,718... Для этого надо найти частное

$$\frac{10}{2,718...} = 3,678...$$

Так как разделить на 3,678... равных частей нельзя, то приходится выбрать делителем ближайшее целое число 4. Мы получим, следовательно, наибольшее произведение частей 10, если эти части равны $\frac{10}{4}$, т.е. 2,5.

Значит,

$$(2,5)^4 = 39,0625$$

есть самое большое число, какое может получиться от перемножения одинаковых частей числа 10. Действительно, разделив 10 на 3 или на 5 равных частей, мы получим меньшие произведения:

$$\left(\frac{10}{3}\right)^3 = 37,$$

$$\left(\frac{10}{5}\right)^5 = 32.$$

Число 20 надо для получения наибольшего произведения его частей разбить на 7 одинаковых частей, потому что

$$20 : 2{,}718... = 7{,}36 \approx 7.$$

Число 50 надо разбить на 18 частей, а 100 — на 37, потому что

$$50 : 2{,}718... = 18{,}4,$$

$$100 : 2{,}718... = 36{,}8.$$

Число e играет огромную роль в математике, физике, астрономии и других науках. Вот некоторые вопросы, при математическом рассмотрении которых приходится пользоваться этим числом (список можно было бы увеличивать неограниченно):

Барометрическая формула (уменьшение давления с высотой),

формула Эйлера[1],

---

[1] О ней см. ст. «Жюль-верновский силач и формула Эйлера» в книге «Физические головоломки».

закон охлаждения тел,

радиоактивный распад и возраст Земли,

колебания маятника в воздухе,

формула Циолковского для скорости ракеты[1],

колебательные явления в радиоконтуре,

рост клеток.

Логарифмическая комедия

ЗАДАЧА

В добавление к тем математическим комедиям, с которыми читатель познакомился в главе пятой, приведем еще образчик того же рода, а именно «доказательство» неравенства 2 > 3. На этот раз в доказательстве участвует логарифмирование. «Комедия» начинается с неравенства

$$\frac{1}{4} > \frac{1}{8},$$

бесспорно, правильного. Затем следует преобразование:

$$\left(\frac{1}{4}\right)^2 > \left(\frac{1}{8}\right)^3,$$

также не внушающее сомнения. Большему числу соответствует больший логарифм, значит,

---

[1] См. книгу «Межпланетные путешествия».

$$2 \lg_{10}\left(\frac{1}{2}\right) > 3 \lg_{10}\left(\frac{1}{2}\right).$$

После сокращения на $\lg_{10}\left(\frac{1}{2}\right)$ имеем: $2 > 3$. В чем ошибка этого доказательства?

РЕШЕНИЕ

Ошибка в том, что при сокращении на $\lg_{10}\left(\frac{1}{2}\right)$ не был изменен знак неравенства ($>$ на $<$); между тем необходимо было это сделать, так как $\lg_{10}\left(\frac{1}{2}\right)$ есть число отрицательное. [Если бы мы логарифмировали при основании не 10, а другом, меньшем чем $\frac{1}{2}$, то $\lg\left(\frac{1}{2}\right)$ был бы положителен, но мы не вправе были бы тогда утверждать, что большему числу соответствует больший логарифм.]

Любое число — тремя двойками

ЗАДАЧА

Закончим книгу остроумной алгебраической головоломкой, которой развлекались участники одного съезда физиков в Одессе. Предлагается задача: любое данное число, целое и положительное, изобразить с помощью трех двоек и математических символов.

РЕШЕНИЕ

Покажем, как задача решается, сначала на частном примере. Пусть данное число 3. Тогда задача решается так:

$$3 = -\lg_2 \lg_2 \sqrt{\sqrt{\sqrt{2}}}\ .$$

Легко удостовериться в правильности этого равенства. Действительно,

$$\sqrt{\sqrt{\sqrt{2}}} = \left[\left(2^{\frac{1}{2}}\right)^{\frac{1}{2}}\right]^{\frac{1}{2}} = 2^{\frac{1}{2^3}} = 2^{2^{-3}},$$

$$\lg_2 2^{2^{-3}} = 2^{-3}, \quad -\lg_2 2^{-3} = 3.$$

Если бы дано было число 5, мы разрешили бы задачу тем же приемом:

$$5 = -\lg_2 \lg_2 \sqrt{\sqrt{\sqrt{\sqrt{\sqrt{2}}}}}\ .$$

Как видим, мы используем здесь то, что при квадратном радикале показатель корня не пишется.

Общее решение задачи таково. Если данное число N, то

$$N = -\lg_2 \lg_2 \underbrace{\sqrt{\sqrt{\ldots \sqrt{\sqrt{2}}}}}_{N \text{ раз}},$$

причем число радикалов равно числу единиц в заданном числе.

СОДЕРЖАНИЕ

ИЗДАТЕЛЬСКАЯ ГРУППА АСТ
КАЖДАЯ **ПЯТАЯ** КНИГА РОССИИ

ПРИОБРЕТАЙТЕ КНИГИ ПО ИЗДАТЕЛЬСКИМ ЦЕНАМ В СЕТИ КНИЖНЫХ МАГАЗИНОВ буква

Научно-популярное издание

Перельман Яков Исидорович

ЗАНИМАТЕЛЬНАЯ АЛГЕБРА

Ведущий редактор *Е.Ю. Овчинникова*
Художественные редакторы
И.А. Сынкова, О.Н. Адаскина
Компьютерный дизайн переплета *С.Е. Власова*
Корректор *Г.Б. Костромцова*

Общероссийский классификатор продукции
ОК-005-93, том 2; 953000 — книги, брошюры
Санитарно-эпидемиологическое заключение
№ 77.99.60.953.Д.009163.08.07 от 03.08.2007 г.

ООО «Издательство АСТ»
141100, Россия, Московская обл.,
г. Щелково, ул. Заречная, д. 96

ООО «Издательство Астрель»
129085, г.Москва, пр-д Ольминского, д. 3а, стр. 1

Наши электронные адреса:
www.ast.ru E-mail: astpub@aha.ru

ООО Издательство «АСТ МОСКВА»
129085, г.Москва, Звездный б-р, д. 21, стр. 1

Отпечатано с готовых диапозитивов
в типографии ООО «Полиграфиздат»
144003, г. Электросталь, Московская область, ул. Тевосяна, д. 25